DARWIN
EN / *IN*
PATAGONIA

Español   *English*
Un viaje fotográfico   *A photographic journey*
por   *by*

MARCELO D. BECCACECI

DEL NUEVO EXTREMO

Primera edición/ _First edition_
Agosto de 2003 / _August 2003_

Director editorial/ _Publishing director_
Miguel Lambré

Idea y coordinación de edición/ _Idea and editorial coordination_
Marcelo D. Beccaceci

Corrección/ _Revision_
Silvia Pazos

Traducción/ _Translation_
Bonnie Tucker

Diseño de cubierta e interior/ _Cover and graphic design_
D.G. Ana Victoria Vergeli (PhotoDesign)

Foto de contratapa/ _Back cover picture_
M. García Rams

ISBN 987-1068-28-X

Editorial Del Nuevo Extremo
Juncal 4651 (1425) Buenos Aires Argentina
Tel/Fax: (54-11) 4773-3228
e-mail: produccion@delnuevoextremo.com
www.delnuevoextremo.com

Marcelo D. Beccaceci
e-mail: mdb@wamani.apc.org

Hecho el depósito que marca la ley 11.723
Deposit under law 11.723
Impreso por Longseller S.A. Buenos Aires, Argentina/
Printed by Longseller S.A. Buenos Aires, Argentina.

Portada/_Cover_: Tierra del Fuego.

A mis hermanos
Leonardo y María Cecilia.

*To my brother Leonardo and
my sister María Cecilia.*

PRÓLOGO

La expedición del Beagle (1831-1836) fue para Charles Darwin, el suceso que cambió su vida y su manera de pensar. Las observaciones y hallazgos realizados por él durante la travesía y las conclusiones meditadas sobre historia natural que luego madurarían en su mente durante su residencia en Inglaterra, habrían de ofrecer al mundo teorías revolucionarias sobre la vida en la Tierra, el origen de las especies y la evolución.

El *Viaje del Beagle* es su libro más popular; allí ha volcado además de observaciones científicas, comentarios sobre sus sentimientos más íntimos durante las inolvidables experiencias vividas en tierras exóticas. De esta obra hemos incluido aquí parte del capítulo VIII: Banda Oriental y Patagonia; los capítulos IX: "Santa Cruz, Patagonia y las islas Falkland"; X: "Tierra del Fuego", y parte del XI: "Estrecho de Magallanes. Clima de las costas australes".

De acuerdo con el propio Darwin, algunas de las impresiones de este famoso viaje alrededor del mundo que más perduraron en su memoria, son las referidas a la ilimitada y misteriosa estepa patagónica y a las imponentes montañas de Tierra del Fuego. Ha sido mi propósito brindar a los lectores imágenes actuales de lugares y cosas vistas por Darwin durante su recorrida por las tierras del confín del planeta. Para ello he seguido sus huellas hasta el Cabo de Hornos y, a pesar de que desde hace veinte años recorro con mi cámara el sur de Sudamérica, he redescubierto lugares y sensaciones únicas descriptas por Darwin en su diario.

PROLOGUE

The Beagle expedition (1831-1836) changed Charles Darwin's life and his way of thinking. His observations and discoveries during the voyage, and the conclusions on natural history he arrived at after lenghthy consideration back home in England, gave the world revolutionary theories on life on Earth, the origin of species and evolution.

The Voyage of the Beagle *is his most popular book; in it he wrote, in addition to his scientific observations, his feelings about his unforgettable experiences in exotic lands. In this book we have reproduced part of Chapter VIII: Banda Oriental and Patagonia, chapters IX: Santa Cruz, Patagonia and Falkland Islands; X: Tierra del Fuego, and part of XI: Strait of Magellan – Climate of the Southern Coasts.*

Darwin said that some of the most unforgettable impresions he received during his famous round-the-world voyage were the limitless, mysterious Patagonian steppe and the imposing mountains of Tierra del Fuego. In this book I have sought to give readers a present-day look at places and things seen by Darwin during his travels at the end of the planet. In order to do so, I have followed his tracks to Cape Horn and, despite having roamed southern South America with my camera for 20 years, I have rediscovered the unique places and sensations described by Darwin in his diary.

For those who want to have their own experience following the Beagle, I have included in the Useful Addresses section information on contacts who can offer suggestions and logistical support for the different parts of the voyage.

Para quienes quieran sumarse a la experiencia de recorrer el camino del *Beagle*, he incluido en la sección Direcciones Útiles, información sobre contactos que ofrecen sugerencias y apoyo para las distintas etapas del viaje.

Espero que la comunión entre textos e imágenes logre traducir la belleza de la llamada durante muchos siglos *Terra Australis Incognita*, que dejó de serlo, en gran medida, gracias a la labor llevada a cabo por Darwin.

M.D.B. 2003

I hope that the communion between texts and images is successful in conveying the beauty of the Terra Australis Incognita, *which after many centuries stopped being such, in large part, thanks to Darwin.*

M.D.B. 2003

Las glorias de la vegetación de los trópicos se presentan ante mi mente con mayor intensidad que cualquier otra cosa en la actualidad, si bien es imborrable la impresión dejada en mí por la sensación de sublimidad que evocan los grandes desiertos de la Patagonia y las montañas cubiertas por bosques de Tierra del Fuego. El espectáculo de un salvaje desnudo en su tierra nativa es algo que no se olvida jamás.

Charles Darwin, 1876.

The glories of the vegetation of the Tropics rise before my mind at the present time more vividly than anything else; though the sense of sublimity, which the great deserts of Patagonia and the forest-clad mountains of Tierra del Fuego excited in me, has left an indelible impression on my mind. The sight of a naked savage in his native land is an event which can never be forgotten.

Charles Darwin, 1876.

HMS Beagle

ANTERIORES EXPEDICIONES EN LA PATAGONIA

Las expediciones precursoras hacia el extremo austral de la América del Sur se realizaron durante los siglos XVI y XVII.

La primera -o descubridora- partió de España, al mando del marino portugués Hernando de Magallanes, el 20 de septiembre de 1519. Al cruzar el paralelo de 40°, encontraron por primera vez la tierra que más tarde se llamaría Patagonia, el 20 de enero de 1520. Por junio de aquel año, en las playas del lugar que bautizaron San Julián, se produjo el primer encuentro entre expedicionarios y nativos. De este hecho se deriva una consecuencia inesperada: el nombre geográfico de la región que cubre un millón de kilómetros cuadrados: la Patagonia.

El 21 de noviembre avistaron un cabo, al que llamaron De las Once Mil Vírgenes. Al sur de ese promontorio se abría un paso. Magallanes ordenó entonces explorar la zona con las naves *San Antonio y Concepción*, con instrucciones de regresar en cinco días. Las dos naves restantes permanecieron un poco más adentro de la entrada. Transcurrieron los días y por fin avistaron las velas de las naves que volvían. De inmediato, escucharon las salvas de los cañones. La operación había sido un éxito. Tras franquear la primera y segunda angostura habían comprobado que el pasaje llevaba a mar abierto. Por la noche advirtieron fuegos en la costa sur, lo que indicaba la presencia oculta de los nativos, y así se bautizó al lugar: Tierra de los Fuegos.

La primera circunnavegación del globo fue completada luego por Sebastián Elcano, quien arribó a España al mando de la *Victoria*, el 8 de septiembre de 1522. De los 266 hombres que se habían embarcado, perecieron o desaparecieron unos 200.

PREVIOUS EXPEDITIONS IN PATAGONIA

The first expeditions to the far south of South America were made during the 16th and 17th centuries.

The first, captained by Portuguese navigator Ferdinand Magellan, set sail from Spain on September 20, 1519. When they crossed the 40th paralel, they discovered, on January 10, 1520, the land that would later be called Patagonia. In June of that year, on the beaches of a spot they named San Julián, the expedition members' first encounter with the natives took place. The unexpected result of this encounter was the geographical name of a region that covers a million square kilometers: Patagonia.

On November 21 they sighted a cape, which they called De las Once Mil Vírgenes. South of that promontory they came upon a passage. Magellan ordered the captains of the San Antonio *and* Concepción *to explore the region and return in five days. The two remaining ships remained a little inside the entrance to the strait. Days passed, and they finally sighted the sails of the ships that were returning. Immediately, they heard the cannon salutes: the operation had been successful. After passing the first and second narrows, they had seen that the passage continued on to the open sea. At night they had seen fires on the southern coast of the strait, which indicated the hidden presence of natives. So they called the place Tierra de los Fuegos (Fire Land).*

The first circumnavigation of the world was completed later by Sebastian Elcano, who arrived in Spain at the helm of the Victoria *on September 8, 1522. Of the 266 men who had set sail on that ship, some 200 had perished or were missing.*

Pocos años después, el rey Carlos V resolvió enviar una expedición que puso al mando de García Jofré de Loayza. El tiempo fue casi siempre adverso durante el viaje y las siete naves apenas lograron reunirse en la entrada oriental del estrecho, en abril de 1526, diez meses después de la partida de España. Con posterioridad, se produjo el naufragio de una de las naves, y el regreso de otras dos. Con las cuatro naves restantes, Loayza prosiguió hasta el Pacífico; pero luego, otra vez vio dispersada su flotilla. La única que llegó finalmente a destino, las islas Molucas, fue la *Santa María de la Victoria*, la nave capitana, sin embargo, durante el trayecto habían muerto Loayza y Elcano. Resulta interesante destacar que durante esta expedición, empujada por los vientos, la nave *San Lemes* llegó a la latitud 55°; su capitán, Francisco de Hoces, mencionaba que allí se terminaba la tierra. O sea, se abría un nuevo paso hacia el Pacífico.

La expedición siguiente al confín austral de Sudamérica, estuvo a cargo del navegante veneciano Sebastián Gaboto. Su escuadra de tres naves zarpó de España el 3 de abril de 1526, con destino a las Molucas pero no pasó más que al sur del Río de la Plata y regresó a España a los cuatro años de su partida.

El cuarto viaje al extremo sur de América tenía como objetivo el asentamiento de una población. El noble portugués Simón de Alcazaba, al servicio del rey Carlos V, recibió las tierras de la Patagonia para fundar una colonia. La expedición, compuesta por dos navíos donde se embarcaron doscientas cincuenta personas entre colonos, soldados y tripulantes, partió de España el 21 de septiembre de 1534.

El 17 de enero del año siguiente llegaba la escuadrilla a la boca del estrecho de Magallanes. Luego de explorar la costa atlántica, a 45° de latitud desembarcaron

Shortly thereafter, King Charles V decided to put García Jofré de Loayza in charge of another expedition. The weather was foul during most of the voyage and the seven ships barely made it to the eastern entrance of the strait in April 1526, ten months after having set sail from Spain. One ship sank and two returned to Spain. With the remaining four, Loayza continued on to the Pacific, only to see his fleet disperse. The only craft to arrive at the destination, the Moluccas, was the flagship, the Santa María de la Victoria. *However, Loayza and Elcano had died during the voyage. It is interesting to note that during this expedition the* San Lemes, *blown off course by the wind, made it to latitude 55°; her captain, Francisco de Hoces, mentioned that here the land ended. That is, a new passage to the Pacific had been discovered.*

The next expedition to the southern tip of South America was captained by Venetian navigator Sebastian Cabot. His three-ship fleet left Spain on April 3, 1526 bound for the Moluccas, but it got no further south than the River Plate and returned to Spain four years after its departure.

The objective of the fourth expedition to the far end of South America was to establish a settlement. Simón de Alcazaba, a Portuguese noble at the service of King Charles V, received land in Patagonia on which to set up an outpost. The expedition, comprising two ships carrying 250 people including colonists, soldiers and crew, set sail from Spain on September 21, 1534.

On January 17 of the following year , the fleet arrived at the mouth of the Strait of Magellan. After exploring the Atlantic coast, at 45° latitude they disembarked in a bay, which they named Puerto Los

en una bahía, a la que dieron el nombre de Puerto Los Leones. Allí juró Alcazaba como gobernador y como primer acto de gobierno envió una expedición al interior. El grupo explorador se adentró de a pie por la estepa y regresó en pésimas condiciones físicas. Poco tiempo después, decidieron acabar con la vida de Alcazaba: lo asesinaron y arrojaron su cuerpo al mar. El grupo insurgente habría de abandonar la zona en dos naves, dejando a muchos pobladores abandonados a su suerte. Nunca más se supo de ellos.

La última de estas expediciones organizadas por España para asegurarse el dominio del acceso al Pacífico, fue la que financió el obispo de Plasencia, Gutiérrez de Vargas, y puso al mando de Alonso de Camargo.

La escuadrilla de tres naves zarpó de España en agosto de 1539. Una de las naves naufragó en la primera angostura del estrecho; la segunda, con sus tripulantes rebelados, decidió regresar a España; y la tercera, antes de cruzar el estrecho fue empujada por los vientos hacia el sur.

Estas expediciones posteriores a la descubridora de Magallanes, destinadas a completar el reconocimiento del nuevo camino hacia el Pacífico y a tomar posesión de estas regiones en nombre del Reino de España, poco hicieron a favor del conocimiento geográfico del litoral patagónico; no obstante, su mención sirve para resaltar los enormes esfuerzos de los exploradores.

Unas veces por los desastres marítimos, otras por incompetencia de los jefes, por imprevisiones e improvisaciones durante las expediciones, o por las condiciones adversas de suelo y clima; lo cierto es que a dos siglos y medio del descubrimiento del estrecho, no hubo un solo apostadero español en la costa atlántica desde el Río de la Plata hasta el estrecho.

Leones. There Alcazaba was sworn in as Governor, and his first act of government was to send an expedition to reconnoiter the interior on foot. The expeditionary group returned from their mission in the steppe in bad physical condition. Shortly thereafter they decided to kill Alcazaba; after the murder they threw the body into the sea. The rebels left in two ships, leaving many settlers abandoned to their fate. Nothing more was ever known of them.

The last of the voyages that Spain organized to establish its dominion over the passage to the Pacific was the one captained by Alonso de Camargo and financed by Gutiérrez de Vargas, Bishop of Plasencia.

The three-ship fleet set sail from Spain in August 1539. One of the ships sank in the first narrows of the strait. The second, whose crew mutineed, returned to Spain. The third was blown off couse toward the south before crossing the strait.

These expeditions following Magellan's discovery – aimed mainly at finding out more about the new route to the Pacific and taking possession of these regions in the name of the Spanish Crown– did little to further geographical knowledge of the Patagonian coast; however, mention of them serves to acknowledge the enormous efforts made by the explorers.

Sometimes it was owing to disasters at sea, others to incompetence of captains, improvidence and improvisation during the expeditions, and adverse soils and climate, but the upshot was that for two and a half centuries there was not a single Spanish outpost on the Atlantic coast from the River Plate to the Strait of Magellan.

El nombre Patagonia hace referencia a la región habitada por unos aborígenes que Magallanes -en su expedición descubridora de 1520- habría bautizado como patagones.

Por lo general, se considera que la palabra *patagón* tiene relación con el tamaño de los pies, que parecían enormes debido a las ojotas de cuero de guanaco que los cubrían y dejaban en la arena unas huellas desmedidas. Sin embargo, en español el apelativo podría ser *patón o patudo* pero nunca patagón.

En el memorable viaje se hallaba un cronista proveniente de Vicenza, Italia, llamado Pigafetta, quien tomó apuntes durante los tres años que duró aquel viaje. En su relato, al llegar al punto en que la escuadrilla se encontraba fondeada en San Julián, en disposición de invernar, se lee lo siguiente: *"Nos demoramos allí dos meses enteros sin ver jamás a habitante alguno; un día cuando menos lo esperábamos vimos un gigante que estaba al lado del mar casi desnudo y bailaba, saltaba y cantaba, y al mismo tiempo se echaba arena y polvo sobre la cabeza"*. Más adelante señala: *"(...) nuestro capitán* (por Magallanes) *llamó a esta gente Patagoni"*; así lo expresa en la versión manuscrita en italiano.

No se sabe a ciencia cierta qué quiso significar Magallanes con este término. Algunos investigadores se inclinan por el término originario de *pata gao*, que en portugués, el idioma nativo del descubridor, significa pie grande. Otra versión, más ajustada a la lógica sobre el significado de *patagón*, que se aparta de aquella que la vincula con el pie o pata, se deriva del aspecto exterior de aquellos

The name Patagonia refers to the región inhabited by Indians that Magellan called Patagones during his expedition of 1520.

The word patagón *is generally considered to be related to the size of the Indians' feet, which looked enormous in the guanaco leather sandals that covered them and left big tracks in the sand. The Spanish words would be* patón or patudo, *but never patagón.*

A writer known as Pigafetta, from Vicenza, Italy, took notes during the three years that that memorable voyage lasted. In his chronicle, when the fleet anchored in San Julián to spend the winter, we read: "We stayed there two whole months without seeing a sole inhabitant; one day when we least expected, we saw a giant by the sea who was nearly naked, and danced, jumped about and sang as he threw sand and dust on his head". *Futher on, he said that* "our captain (Magellan) called those people Patagoni", *in the Italian manuscript version.*

We can't know for sure what Magellan meant by that. Some researchers are inclined to think it was pata gao, *which in Portuguese, the discoverer's native language, means "big foot". Another theory, perhaps more logical than the one that centers on the foot or* pata, *has to do with the way the Indians looked:* patán *in Spanish and* patao *in Portuguese mean rough-hewn or coarse.*

There are other theories on the origin of the word Patagonia, such as the one that refers to the giant Patagon *in the chivalrous novel* Primaleón, *which seems to have been cited by Magellan, but most lack credibility.*

aborígenes, individuos toscos y rústicos, que tiene su definición en español como *patán*; y en el portugués *patao*. A pesar de que existen otras teorías sobre el origen del nombre Patagonia, como la que se refiere al gigante *Patagón* de la novela de caballería *Primaleón*, que según parece fue citada por Magallanes, en su mayoría son poco creíbles.

El bautismo de los indígenas debe haberse originado en cualquiera de los dos adjetivos calificativos mencionados: patán o patón, términos que en portugués, se pronuncian *patao* y *pata-goa* con los plurales de *patanes* o *patagoes*, respectivamente.

Pigafetta con sus escritos y los primeros cronistas que le siguieron serían los causantes de la deformación de cualquiera de dichos términos en *patagones*, que pronto habría de generalizarse y ganar un lugar en la historia.

Durante algunos siglos, el nombre de Patagonia estuvo asociado al extremo sur continental de Sudamérica, pero luego esta denominación se extendió hasta incluir el archipiélago de Tierra del Fuego.

En la actualidad, la Patagonia abarca los sectores más australes de la Argentina y Chile. En el primer país se extiende desde el Río Colorado (36º S), por el norte, hasta el canal de Beagle, por el sur. Las provincias que la integran son cinco: Neuquén, Río Negro, Chubut, Santa Cruz y Tierra del Fuego, además de un pequeño sector situado en el sudoeste de Buenos Aires. En Chile, la zona llamada Patagonia comprende una superficie mucho más reducida que la correspondiente a la Argentina, ya que se extiende desde el Golfo Corcovado (44ºS) hasta el Cabo de Hornos. Incluye las regiones de Aisén (XI) y la de Magallanes y Antártica Chilena (XII).

The Indians' christening most probably had to do with any of the two qualifying adjectives mentioned: patán or patón, terms that in Portuguese are pronounced patao and pata-goa, with patanes or patagoes in the plural, respectively.

Pigafetta's chronicle and the accounts of the first chroniclers who succeeded him were probably the sources of the deformation of any of these words into patagones, which soon achieved generalized usage and a place in history.

For a few centuries, the name Patagonia was associated with the far south of the South American continent, but later this denomination was extended to include the archipelago of Tierra del Fuego.

At present, Patagonia comprises the southernmost parts of Argentina and Chile. In the former it extends from the Colorado River (36ºS) in the north to the Beagle Channel in the south. The provinces that comprise it are Neuquén, Río Negro, Chubut, Santa Cruz and Tierra del Fuego, in addition to a small sector in the southwest of the province of Buenos Aires. In Chile, the region called Patagonia is much smaller than Argentina's, as it extends from the Gulf of Corcovado (44ºS) to Cape Horn. It includes the Aisén (XI) and Magallanes y Antártica Chilena (XII) regions.

El viaje del *Beagle* se inició en 1831 y concluyó hacia fines de 1836. No era la primera vez que el navío estaba en alta mar. Bajo el mando de Phillip Parker King, el *Adventure* y el *Beagle* habían realizado ya un viaje de exploración por la costa oriental de América del Sur, que adquirió importancia naval y comercial para Gran Bretaña a partir de 1825, cuando George Canning firmó un tratado comercial con una federación de provincias argentinas, que recién se había emancipado. Robert Fitz Roy, integrante de esa primera expedición, tomó a su cargo la capitanía temporaria del *Beagle* luego del dramático suicidio de su capitán, Pringle Stockes. Cuando la expedición retornó en 1830, y King expresó su deseo de retirarse y afincarse en Australia, Fitz Roy fue designado comandante primero para el segundo viaje de reconocimiento, para zarpar lo más pronto que fuera posible.

Fitz Roy equipó el navío con los últimos instrumentos de reconocimiento del Almirantazgo y algunos equipos que él mismo había comprado. Su tripulación estaba constituida en gran parte, por marineros de la primera expedición, más algunos otros denominados oficialmente como "supernumerarios", un término que significaba que el Almirantazgo no se hacía cargo de sus salarios, ni responsable de su conducta. Entre ellos se encontraban tres nativos de Tierra del Fuego, que Fitz Roy había llevado a Inglaterra durante la primera expedición (un cuarto aborígen había muerto de viruela al llegar a Inglaterra), y que ahora pensaba devolver a su tierra junto con un misionero, el reverendo Richard Matthews, quien deseaba establecer una misión

The voyage of the Beagle *began in 1831 and concluded towards the end of 1836 .*

It was not the first time that this ship has been on the high seas. Under the command of Phillip Parker King, HMS Adventure *and HMS* Beagle *had already survey a large portion of the eastern coast of South America, significant in naval and commercial terms for Great Britain since 1825, when George Canning had signed a commercial treaty with a newly independent federation of Argentinian states. Robert FitzRoy had joined this earlier expedition and was then in charged of the temporary captaincy of the* Beagle *because of the dramatic suicide of her captain, Pringle Stokes. When the expedition returned home in 1830, and King expressed his desire to retire and settle in Australia, Fitz Roy was appointed overall commander for a second surveying voyage to set out as soon as practicable to complete work.*

Fitz Roy refitted the ship with all the latest Admiralty surveying devices and some equipment of his own purchasing. His crew was largely drawn from the previous expedition plus some others known officially as "supernumeraries", a term that meant that the Admiralty was responsible for neither their conduct nor their salaries. Among these were three natives of Tierra del Fuego, who had been brought to England by Fitz Roy during the previous expedition (a fourth had died of smallpox on arriving in England) and were now being returned to their country in the company of a missionary, Richard Matthews, in order to set up an Anglican mission. There was an artist and an instrument-maker to tend the chronometers, both in Fitz Roy's private employment.

anglicana. También había un artista y un artesano-especializado en la confección de instrumentos, que atendía los cronómetros- ambos empleados de Fitz Roy.

Además, Fitz Roy le preguntó a su amigo Harry Chester si quería acompañarlo durante toda o una parte de la expedición; pero también le escribió a Francis Beaufort, hidrógrafo de la armada. Beaufort notificó a George Peacock, un egresado de la Trinity College y profesor de matemáticas, quien a su vez le escribió a su colega John Stevens Henslow, profesor de Botánica y vicario de la Little St Mary's Church. Henslow no pudo aceptar la invitación debido a su abultada agenda, y pasó la misma a Darwin, quien el 1º de septiembre de 1831 aceptó la oferta y comenzó a recabar información y alistar su equipamiento antes de ir a ver el *Beagle*. Luego de inacababables demoras oficiales y administrativas, seguidas por el mal tiempo que obligó al barco a volver a puerto dos veces en diez días, Fitz Roy y Darwin finalmente partieron de Plymouth el 27 de diciembre de 1831. Robert Fitz Roy tenía 26 años cuando el *Beagle* levó anclas; y Charles Darwin, 22.

El viaje fue el evento más influyente en la vida de Charles Darwin y le dio una gran oportunidad para realizar observaciones científicas, coleccionar animales y plantas, y viajar por tierras poco conocidas para los naturalistas europeos. En consecuencia, esta expedición lo convirtió en una celebridad del mundillo de la ciencia, ya que escribió varios libros y artículos sobre muchas de las cosas que había visto. Muchos años después, Darwin afirmó en su autobiografía: "El viaje del *Beagle* fue, lejos, el evento más importante de mi vida y jugó un papel determinante en toda mi carrera".

Fitz Roy also decided to approach a friend, Harry Chester, asking if he would care to accompany him for part or the whole of the voyage but he also wrote to Francis Beaufort, Hydrographer to the Navy. Beaufort notified George Peacock, a fellow of Trinity College and lecturer in mathematics, who in turn wrote to his collegue at St John's, the Professor of Botany and curate of Little St Mary's Church, John Stevens Henslow. Henslow could not accept the invitation due to his busy activities so he contacted Darwin. On 1 September 1831 Darwin wrote accepting the offer and started gathering information and ge-tting his equipment in order before going to see the Beagle. *After interminable official and administrative delays coupled with prolonged stormy weather, which forced the* Beagle *to return to port twice in ten days, FitzRoy and Darwin at last sailed out of Plymouth on 27 December 1831. Robert Fitz Roy was twenty-six when the* Beagle *sailed and Charles Darwin was twenty-two.*

This trip was the most influential event in Charles Darwin's life and gave him a great opportunity to make scientific observations, to collect animals and plants and to travel through little known countries to European naturalists. Thereafter the expedition made him a scientific celebrity as he produced several books and articles about many of the things that he had seen. Many years later Darwin will mention in his autobiography that "the voyage of the Beagle *has been by far the most important event in my life and has determined my whole career".*

El 24 de julio de 1832, el *Beagle* zarpó de Maldonado, Uruguay, en dirección al estuario del Río Negro, en la Argentina, adonde arribó el tres del mes siguiente. Darwin describe en sus apuntes el caserío de Carmen de Patagones y sus alrededores, las salinas próximas y el recuerdo existente en la población de pasadas luchas con los indios que atacaban las estancias más alejadas. Cuando el naturalista se encontraba en esta zona, tenía lugar el avance del general Rosas y sus tropas hasta el Río Colorado, durante la conocida campaña del desierto contra los aborígenes.

Darwin decidió por entonces iniciar un viaje por tierra hacia el norte, con destino a Bahía Blanca, donde lo esperaría el *Beagle* (aunque finalmente prefirió seguir a caballo hasta Buenos Aires). Junto a un inglés, un guía y cinco gauchos partió Darwin el 11 de agosto y tuvo así la oportunidad de vivir la vida del gaucho, vagando por los inmensos campos donde se unen la pampa con la Patagonia.

Luego de casi tres días de marcha, la partida cruzó el Río Colorado (límite norte actual de la Patagonia) y horas más tarde se produjo el encuentro con Rosas. Existen algunas pocas descripciones sobre la zona patagónica entre el Río Negro y el Río Colorado en esos días previos al encuentro de Darwin con el *Beagle*, por lo que se ha preferido priorizar el itinerario que comenzó el 6 de diciembre de 1833, al zarpar la nave nuevamente desde Maldonado pero con la proa dirigida esta vez hacia el extremo sur de Sudamérica.

On July 24, 1832 the Beagle *set sail from Maldonado, Uruguay, headed for the estuary of the Negro River in Argentina, where it arrived on August 3. Darwin describes the settlement of Carmen de Patagones and its surroundings, the nearby salt flats and the residents' recollections of the struggles with the Indians who attacked the outlying ranches.*

When the naturalist was in this area, General Rosas was advancing with his troops toward the Colorado River during the famous Desert Campaign against the Indians.

Darwin then decided to begin an overland journey to Bahía Blanca in the north, where the Beagle *would be waiting for him (although he finally decided to continue on horseback to Buenos Aires). Together with an Englishman, a guide and five gauchos, Darwin left on August 11 and during the ride had the opportunity to lead a gaucho's life, roaming across the immense ranges between the pampa and Patagonia.*

After nearly three days, the party crossed the Colorado River (where Patagonia is considered to begin at present), and met Rosas a few hours later. Little is said of the area of Patagonia between the Negro River and the Colorado River during his voyage to meet up with the Beagle. *Hence we have preferred to concentrate on the part of the itinerary that began on December 6, 1833, when the ship again left Maldonado, but heading this time to the far south of South America.*

De todas formas, el siguiente párrafo extraído de las notas de Darwin, da cuenta de los imperceptibles límites naturales entre la pampa y la Patagonia que el naturalista supo detectar mientras viajaba:

"Cabalgamos por el valle del río Colorado durante varias millas. Las llanuras aluviales al costado parecían fértiles, y se supone que serían buenas para el cultivo del maíz. Doblando, desde el río, hacia el norte, pronto entramos en un territorio distinto a aquellas llanuras al sur. La tierra seguía seca y estéril, pero sostenía una gran variedad de plantas diferentes, y la hierba, si bien era marrón y reseca, era más abundante, y había menos arbustos espinosos. A poco andar, éstos desaparecieron por completo, y las llanuras quedaron sin un monte que cubriera su desnudez. Este cambio en la vegetación marca el comienzo del gran depósito calcáreo-arcilloso, que, como ya he dicho, forma la gran extensión de las pampas, cubriendo las rocas graníticas de la Banda Oriental. Desde el estrecho de Magallanes, una distancia de unas 800 millas, la superficie está compuesta por ripio; los guijarros son principalmente de pórfido y probablemente tengan su origen en las rocas de la cordillera. Al norte del río Colorado esta capa se hace más delgada y los guijarros son muy chicos; es aquí donde desaparece la vegetación típica de la Patagonia".

At any rate, the following paragraph extracted from Darwin's notes describes the imperceptible natural limits between the pampa and Patagonia that the naturalist noticed while travelling:

"For several miles we travelled along the valley of the Colorado. The alluvial plains on the side appeared fertile, and it is supposed that they are well adapted to the growth of corn. Turning northward from the river, we soon entered on a country, differing from those plains that extend south of the river. The land still continued dry and sterile; but it supported many different kinds of plants, and the grass, though brown and withered, was more abundant, as the thorny bushes were less so. These latter in a short space entirely disappeared, and the plains were left without a thicket to cover their nakedness. This change in the vegetation marks the commencement of the grand calcareo-argillaceous deposit, which I have already noticed as forming the wide extent of the Pampas, and as covering the granitic rocks of Banda Oriental. From the Strait of Magellan to the Colorado, a distance of about 800 miles, the face of the country is every where composed of shingle: the pebbles are chiefly of porphyry, and probably owe their origin to the rocks of the Cordillera. North of the Colorado the bed thins out, and the pebbles become exceedingly small, and here the characteristic vegetation of Patagonia ceases".

capítulo 1

PORT DESIRE.

GUANACO.

PUERTO SAN JULIÁN.

GEOLOGÍA DE LA PATAGONIA.

FÓSILES DE ANIMALES GIGANTESCOS.

TIPOS DE ORGANIZACIÓN.

CAMBIO PERMANENTE EN LA ZOOLOGÍA
DE AMÉRICA.

CAUSAS DE EXTINCIÓN.

chapter 1

PORT DESIRE.

GUANACO.

PORT ST. JULIAN.

GEOLOGY OF PATAGONIA.

FOSSIL GIGANTIC ANIMAL.

TYPES OF ORGANIZATION.

CONSTANT CHANGE IN THE ZOOLOGY
OF AMERICA.

CAUSES OF EXTINCTION.

23 DE DICIEMBRE DE 1833

Llegamos a Port Desire*, situado a los 47° de latitud en la costa de la Patagonia. La bahía, que varía de anchura, penetra tierra adentro hasta unas 20 millas. El *Beagle* echó anclas a pocas millas de la entrada, frente a las ruinas de un antiguo poblado español.

Esa misma tarde bajé a tierra. El primer contacto con un nuevo lugar es siempre interesante, en especial cuando, como en este caso, ofrece el atractivo de poseer un carácter individual muy marcado. A una altura de 200 ó 300 pies, sobre unas masas de pórfido, se extiende una ancha llanura, característica de la Patagonia. La superficie es completamente uniforme y está formada de guijarros redondeados mezclados a una tierra blanquecina. Acá y allá crecen algunos matorrales de hierba

December 23rd, 1833

We arrived at Port Desire, situated in lat. 47 degs., on the coast of Patagonia. The creek runs for about twenty miles inland, with an irregular width. The Beagle *anchored a few miles within the entrance, in front of the ruins of an old Spanish settlement.*

The same evening I went on shore. The first landing in any new country is very interesting, and especially when, as in this case, the whole aspect bears the stamp of a marked and individual character. At the height of between two and three hundred feet above some masses of porphyry a wide plain extends, which is truly characteristic of Patagonia. The surface is quite level, and is composed of well-rounded shingle mixed with a whitish earth. Here and there scattered tufts of brown wiry grass are

* Con el propósito de mantener la fidelidad a la edición original en inglés, se ha respetado la denominación que el autor otorga a Puerto Deseado, Argentina. (N. del T.)

parda y algunos arbustillos espinosos, aunque estos últimos son más raros. El clima es seco y muy agradable; y el cielo, de un color azul espléndido, casi nunca se oscurece. Si uno se coloca en el centro de estos desiertos-llanuras mirando hacia el interior, el panorama queda generalmente limitado por una breve colina sobre la cual se extiende otra llanura más alta pero igualmente uniforme y desolada, y en todas direcciones el horizonte se confunde con el trémulo espejismo que parece brotar de la superficie caldeada.

supported, and still more rarely, some low thorny bushes. The weather is dry and pleasant, and the fine blue sky is but seldom obscured. When standing in the middle of one of these desert plains and looking towards the interior, the view is generally bounded by the escarpment of another plain, rather higher, but equally level and desolate; and in every other direction the horizon is indistinct from the trembling mirage which seems to rise from the heated surface.

En una tierra como ésta, la suerte de la colonia española se decidió muy pronto. La sequedad del clima, durante la mayor parte del año, y los ocasionales ataques hostiles de los indios errantes obligaron a los colonos a abandonar sus edificios inacabados. Sin embargo, el estilo en que se empezaron estas construcciones demuestra el poderío y la liberalidad de la España antigua. El resultado de todos los intentos de colonización de este lado de América, al sur de 41° de latitud, ha sido mínimo. Port Famine* expresa con su solo nombre los extremados sufrimientos que tuvieron que soportar varios centenares de personas, de las cuales sólo sobrevivió una para poder contar al mundo sus desdichas. En la bahía de San José, en la costa patagónica, se estableció también una pequeña colonia, pero un domingo los indios la atacaron y asesinaron a todos los colonos, salvo dos hombres que permanecieron cautivos durante muchos años. En Río Negro pude conversar con uno de estos hombres, que es hoy un venerable anciano.

La zoología de la Patagonia es tan limitada como su flora. (1) En las áridas llanuras pueden verse unos pocos escarabajos negros *(heterómeros)* arrastrándose en forma lenta, y de vez en cuando un lagarto que cruza el camino con rapidez. En cuanto a las aves, se encuentran allá tres buitres devoradores de carroña, y en los valles unos pocos

In such a country the fate of the Spanish settlement was soon decided; the dryness of the climate during the greater part of the year, and the occasional hostile attacks of the wandering Indians, compelled the colonists to desert their half-finished buildings. The style, however, in which they were commenced shows the strong and liberal hand of Spain in the old time. The result of all the attempts to colonize this side of America south of 41 degs., has been miserable. Port Famine expresses by its name the lingering and extreme sufferings of several hundred wretched people, of whom one alone survived to relate their misfortunes. At St. Joseph's Bay, on the coast of Patagonia, a small settlement was made; but during one Sunday the Indians made an attack and massacred the whole party, excepting two men, who remained captives during many years. At the Rio Negro I conversed with one of these men, now in extreme old age.

The zoology of Patagonia is as limited as its flora. [1] On the arid plains a few black beetles (Heteromera) might be seen slowly crawling about, and occasionally a lizard darted from side to side. Of birds we have three carrion hawks and in the valleys a few finches and insect-feeders. An ibis (Theristicus melanops — a species said to be found in central Africa) is not uncommon on the most desert parts: in their stomachs I found grasshoppers, cicadae, small

---

* Puerto Hambre. (N. del T.)
(1) Aquí encontré una especie de cacto, descrita por el profesor Henslow bajo la denominación de *Opuntia darwinii* (Magazine of Zoology and Botany, vol. i. p. 466), cuyos estambres se mostraron notoriamente irritables cuando inserté un palito o la punta de mi dedo en la flor. Los segmentos del periantio también se cerraron sobre el pistilo, pero no con tanta rapidez como los estambres. Las plantas de esta familia, por lo general considerada tropical, se encuentran el América del Norte (Lewis and Clark's Travels, p. 221), en la misma latitud alta como acá, es decir, en ambos casos, a los 47 °.

[1] I found here a species of cactus, described by Professor Henslow, under the name of Opuntia darwinii (Magazine of Zoology and Botany, vol. i. p. 466), which was remarkable for the irritability of the stamens, when I inserted either a piece of stick or the end of my finger in the flower. The segments of the perianth also closed on the pistil, but more slowly than the stamens. Plants of this family, generally considered as tropical, occur in North America (Lewis and Clarke's Travels, p. 221), in the same high latitude as here, namely, in both cases, in 47 degs.

pinzones y comedores de insectos. No es raro encontrar en los lugares más desiertos un ibis *(Theristicus melanops)*, especie que, según se dice, se encuentra también en Africa Central. En el estómago de algunos de estos ibis encontré saltamontes, cigarras, algunos lagartos y hasta escorpiones. (2) En cierta época del año, estos pájaros van en bandadas, mientras que durante el resto del año suelen ir en parejas; su chillido es muy agudo y peculiar, parecido al relincho del guanaco.

Bandurria baya (Theristicus caudatus)
Buff-necked ibis (Theristicus caudatus)

El guanaco, o llama salvaje, es el cuadrúpedo característico de las llanuras de la Patagonia. Es un animal de formas elegantes, en estado silvestre, con un cuello largo y esbelto, y patas finas. Es muy común en todas las zonas templadas del continente; ha llegado hasta las islas próximas al Cabo de Hornos, donde vive formando pequeñas manadas

lizards, and even scorpions. [2] At one time of the year these birds go in flocks, at another in pairs, their cry is very loud and singular, like the neighing of the guanaco.

The guanaco, or wild llama, is the characteristic quadruped of the plains of Patagonia; it is the South American representative of the camel of the East. It is an elegant animal in a state of nature, with a long slender neck and fine legs. It is very common over the whole of the temperate parts of the continent, as far south as the islands near Cape Horn. It generally lives in small herds of from half a dozen to thirty in each; but on the banks of the St. Cruz we saw one herd which must have contained at least five hundred.

They are generally wild and extremely wary. Mr. Stokes told me, that he one day saw through a glass a herd of these animals which evidently had been frightened, and were running away at full speed, although their distance was so great that he could not distinguish them with his naked eye. The sportsman frequently receives the first notice of their

Guanaco (Lama guanicoe) - *Guanaco (Lama guanicoe)*

---

(2) Estos insectos se encuentran a menudo debajo de piedras. Encontré a un escorpión caníbal tranquilamente devorando a otro.

[2] These insects were not uncommon beneath stones. I found one cannibal scorpion quietly devouring another.

que constan de media docena a 30 individuos cada una, pero en las orillas del río Santa Cruz vi una formada al menos por 500 guanacos.

Por lo general, estos animales son salvajes y muy cautos. Mr. Stokes me contó que un día vio con prismáticos una manada de estos animales que evidentemente debía de estar aterrorizada y huía a toda marcha, aunque estaban a tal distancia que no se podía distinguir a simple vista. Los cazadores por lo general tienen noticia de su presencia cuando oyen desde larga distancia su peculiar relincho de alarma. Si el cazador, al oír este grito, presta atención, probablemente verá a la manada en actitud vigilante, colocada en hilera en lo alto de alguna colina distante. Si se acerca a ellos, los guanacos emiten de nuevo su peculiar relincho agudo de alarma y huyen a paso rápido a una colina próxima. Sin embargo, si por azar el cazador se encuentra súbitamente con un ejemplar solitario, o varios de ellos juntos, los animales se quedan inmóviles mirándolo fijamente; luego se apartan unas pocas yardas y vuelven a detenerse para mirarlo de nuevo. ¿Cuál debe ser la causa de la diferencia de estas relaciones? ¿Acaso confunden a distancia al hombre con su enemigo mortal, el puma? ¿O tal vez la curiosidad domina a su timidez? Está demostrado que son muy curiosos. Si una persona tendida en el suelo efectúa algunas cabriolas, tales como agitar los pies en el aire, los guanacos se acercan casi siempre para observarla. Este es un ardid, que nuestros cazadores emplearon varias veces con éxito, ya que permite disparar varios tiros que los pobres animales creen que forman parte del espectáculo. En las montañas de Tierra del Fuego, más de una

presence, by hearing from a long distance their peculiar shrill neighing note of alarm. If he then looks attentively, he will probably see the herd standing in a line on the side of some distant hill. On approaching

Guanaco (Lama guanicoe)
Guanaco (Lama guanicoe)

vez he visto cómo al acercarse a un guanaco, el animal no sólo relincha y chilla, sino que empieza a saltar y dar volteretas de lo más ridículas, en apariencia queriendo desafiar al intruso. Es fácil domesticar a estos animales, y he visto a algunos de ellos completamente amansados, en las proximidades de una casa en el norte de la Patagonia. En este estado son muy atrevidos y muchas veces atacan al hombre por detrás, dándole un empujón con ambas rodillas. Según me aseguraron, estos ataques se deben a los celos que sienten los machos por sus hembras. En cambio, los guanacos salvajes no tienen idea de cómo defenderse; un solo perro puede obligar a permanecer quieto a uno de estos grandes animales hasta que llega el cazador. En muchas de sus costumbres se parecen a las ovejas cuando van en rebaños. Por ejemplo, cuando ven a varios hombres que se acercan desde distintos puntos a caballo, se azoran notablemente y no saben por dónde escapar. Esto facilita en gran manera el método de caza de los indios, ya que los cazadores pueden obligarlos a concentrarse todos en un mismo punto para apresarlos allí.

Los guanacos no temen al agua; varias veces, en Puerto Valdés, se los vio nadando de una isla a otra. Byron, en la narración de sus viajes, cuenta que los vio bebiendo agua salada. Algunos de nuestros oficiales también vieron a una tropa que, al parecer, estaba bebiendo el líquido salobre de una salina próxima a Cabo Blanco. Me imagino que en muchas partes del país, si no se contentan con beber agua salada no la pueden beber de ninguna otra clase. Con gran frecuencia se los puede ver al mediodía revolcarse por el polvo, dentro de unos

nearer, a few more squeals are given, and off they set at an apparently slow, but really quick canter, along some narrow beaten track to a neighbouring hill. If, however, by chance he abruptly meets a single animal, or several together, they will generally stand motionless and intently gaze at him; then perhaps move on a few yards, turn round, and look again. What is the cause of this difference in their shyness? Do they mistake a man in the distance for their chief enemy the puma? Or does curiosity overcome their timidity? That they are curious is certain; for if a person lies on the ground, and plays strange antics, such as throwing up his feet in the air, they will almost always approach by degrees to reconnoitre him. It was an artifice that was repeatedly practised by our sportsmen with success, and it had moreover the advantage of allowing several shots to be fired, which were all taken as parts of the performance. On the mountains of Tierra del Fuego, I have more than once seen a guanaco, on being approached, not only neigh and squeal, but prance and leap about in the most ridiculous manner, apparently in defiance as a challenge. These animals are very easily domesticated, and I have seen some thus kept in northern Patagonia near a house, though not under any restraint. They are in this state very bold, and readily attack a man by striking him from behind with both knees. It is asserted that the motive for these attacks is jealousy on account of their females. The wild guanacos, however, have no idea of defence; even a single dog will secure one of these large animals, till the huntsman can come up. In many of their habits they are like sheep in a flock. Thus when they see men approaching in several directions on

hoyos que tienen la forma de una salsera. Los machos suelen luchar entre sí; un día pasaron junto a mí dos de ellos a la carrera, chillando e intentando morderse. Es muy frecuente hallar las pieles de animales cazados, cubiertas por completo de cicatrices y heridas. A veces se encuentra alguna tropa que parece explorar un terreno no frecuentado por este animal; en Bahía Blanca, donde el guanaco no es muy común, un día vi las huellas de 30 o 40 de estos animales que, al parecer, habían ido en línea recta a abrevarse en un estuario de agua salada y barrosa. Por lo visto debieron darse cuenta de que estaban acercándose demasiado al mar, porque la tropa dio la vuelta con la regularidad de un batallón de caballería y emprendió el regreso. Los guanacos tienen una costumbre muy singular, para mí inexplicable por completo; durante varios días sucesivos depositan sus excrementos en un solo montón. Uno de estos montones tenía un diámetro de ocho pies y había en él gran cantidad de excrementos. Esta costumbre, según M. A. d'Orbigny, es común a todas las especies del género y resulta muy útil para los indios del Perú, que suelen usar estos excrementos como combustible y de esta manera se evitan el trabajo de recogerlos.

Al parecer los guanacos tienen sus lugares preferidos para ir a morir. En las orillas del Santa Cruz, en determinadas zonas aisladas, por lo general cubiertas de matorrales y todo a lo largo del río, el suelo aparecía blanco por el gran número de huesos depositados. En una de aquellas zonas conté hasta 20 cabezas. Examiné con todo detalle los huesos y comprobé que no estaban rotos ni roídos, como otros que se encuentran esparcidos y que

horseback, they soon become bewildered, and know not which way to run. This greatly facilitates the Indian method of hunting, for they are thus easily driven to a central point, and are encompassed.

The guanacos readily take to the water: several times at Port Valdes they were seen swimming from island to island. Byron, in his voyage says he saw them drinking salt water. Some of our officers likewise saw a herd apparently drinking the briny fluid from a salina *near Cape Blanco. I imagine in several parts of the country, if they do not drink salt water, they drink none at all. In the middle of the day they frequently roll in the dust, in saucer-shaped hollows. The males fight together; two one day passed quite close to me, squealing and trying to bite each other; and several were shot with their hides deeply scored. Herds sometimes appear to set out on exploring parties: at Bahia Blanca, where, within thirty miles of the coast, these animals are extremely unfrequent, I one day saw the tracks of thirty or forty, which had come in a direct line to a muddy salt-water creek. They then must have perceived that they were approaching the sea, for they had wheeled with the regularity of cavalry, and had returned back in as straight a line as they had advanced. The guanacos have one singular habit, which is to me quite inexplicable; namely, that on successive days they drop their dung in the same defined heap. I saw one of these heaps which was eight feet in diameter, and was composed of a large quantity. This habit, according to M. A. d'Orbigny, is common to all the species of the genus; it is very useful to the Peruvian Indians, who use the dung for fuel, and are thus saved the trouble of collecting it.*

demuestran que los animales habían sido presa de alguna fiera. Antes de morir, los animales debían de haberse arrastrado entre y debajo de los arbustos. Mr. Bynoe me comunica que durante un viaje anterior, observó el mismo hecho en las orillas del río Gallegos. No puedo imaginarme la causa de esta costumbre, pero sí he observado que en Santa Cruz los guanacos heridos se dirigían invariablemente hacia el río. En San Yago, en las islas Cabo Verde, recuerdo haber visto en un barranco un rincón cubierto de huesos de cabra que me hizo pensar que me hallaba en presencia del cementerio de todas las cabras de la isla. Menciono estas circunstancias en apariencia triviales, porque en algunos casos pueden explicar la concurrencia de un gran número de huesos en perfecto estado dentro de una caverna o enterrados por comunicaciones aluviales; y puede explicar también la causa por la cual hay algunos animales a los que se encuentran enterrados en depósitos sedimentarios con mayor frecuencia que a otros.

Un día la balandra salió bajo el mando de Mr. Chaffers con aprovisionamiento para tres días, con el fin de estudiar la parte superior del puerto. Por la mañana estuvimos buscando unos manantiales mencionados en un antiguo mapa español. Encontramos un barranco donde había un arroyito de agua salobre, el primero que habíamos visto hasta entonces. La marea nos obligó a permanecer allí varias horas, durante las cuales me adentré algunas millas hacia el interior. El suelo, como de costumbre, está formado de grava mezclada con un material parecido al yeso, pero muy diferente por su naturaleza. No había ni un sólo árbol y, excepto un guanaco que montaba guardia en la cima de una

The guanacos appear to have favourite spots for lying down to die. On the banks of the St. Cruz, in certain circumscribed spaces, which were generally bushy and all near the river, the ground was actually white with bones. On one such spot I counted between ten and twenty heads. I particularly examined the bones; they did not appear, as some scattered ones which I had seen, gnawed or broken, as if dragged together by beasts of prey. The animals in most cases must have crawled, before dying, beneath and amongst the bushes. Mr. Bynoe informs me that during a former voyage he observed the

colina, no vi ninguna otra clase de animal, incluidos los pájaros. Todo era silencio y desolación. A pesar de que en el panorama no había ni un solo objeto que llamase la atención en las proximidades, uno se siente invadido por un fuerte sentimiento de placer. El viajero, en tales casos, no puede menos que preguntarse cuántos años la llanura debe de haber estado ofreciendo el mismo aspecto y durante cuántos años más seguirá siendo igual.

Nadie puede dar respuesta; todo parece eterno ahora. El desierto habla una lengua misteriosa que deja dudas inquietantes. (3)

Al atardecer seguimos navegando unas pocas millas más arriba, y finalmente armamos las tiendas para pernoctar. Hacia el mediodía del día siguiente, la balandra encalló a causa de la poca profundidad del agua y no pudimos seguir más adelante. Descubrimos que el agua en parte era dulce, y Mr. Chaffers decidió usar el bote para avanzar dos o tres millas más, donde tuvo que detenerse también por falta de fondo, al llegar a un río de agua dulce.

El agua era barrosa y, aunque la corriente era muy pequeña, resultaba difícil conjeturar la procedencia de la misma a no ser que fuese el resultado del deshielo de la cordillera. En el lugar donde establecimos nuestro campamento, estábamos rodeados de altos acantilados y pináculos de pórfido; creo que en mi vida he visto un lugar que, como aquél, diera tan perfectamente la sensación de estar apartado del resto del mundo, como esta hendidura rocosa en la ancha planicie.

A los dos días de nuestro regreso al fondeadero, un grupo de oficiales a los que acompañé fueron a saquear una antigua tumba de los indios que yo

same circumstance on the banks of the Rio Gallegos. I do not at all understand the reason of this, but I may observe, that the wounded guanacos at the St. Cruz invariably walked towards the river. At St. Jago in the Cape de Verd Islands, I remember having seen in a ravine a retired corner covered with bones of the goat; we at the time exclaimed that it was the burial ground of all the goats in the island. I mention these trifling circumstances, because in certain cases they might explain the occurrence of a number of uninjured bones in a cave, or buried under alluvial accumulations; and likewise the cause why certain animals are more comonly embedded than others in sedimentary deposits.

One day the yawl was sent under the command of Mr. Chaffers with three days' provisions to survey the upper part of the harbour. In the morning we searched for some watering-places mentioned in an old Spanish chart. We found one creek, at the head of which there was a trickling rill (the first we had seen) of brackish water. Here the tide compelled us to wait several hours; and in the interval I walked some miles into the interior. The plain as usual consisted of gravel, mingled with soil resembling chalk in appearance, but very different from it in nature. From the softness of these materials it was worn into many gulleys. There was not a tree, and, excepting the guanaco, which stood on the hill-top a watchful sentinel over its herd, scarcely an animal or a bird. All was stillness and desolation. Yet in passing over these scenes, without one bright object near, an ill-defined but strong sense of pleasure is vividly excited. One asked how many ages the plain had thus lasted, and how many more it was doomed thus to continue.

"None can reply —all seems eternal now. The wilderness has a mysterious tongue, Which teaches awful doubt". *[3]*

36

(3) Shelley, Lines on Mt. Blanc.

[3] Shelley, Lines on Mt. Blanc.

Rio Deseado - *Deseado River*

había descubierto en la cumbre de una colina cercana. Frente a un alero de seis pies de altura en la roca, habían sido colocadas dos enormes piedras, cada una de las cuales debía pesar, como mínimo, dos toneladas. En el fondo de la tumba, sobre la dura roca, había una capa de tierra de un pie de profundidad que debían haber llevado allí desde la llanura inferior. Encima de esta capa de tierra se extendía un pavimento de losas, sobre las cuales se amontonaban otras piedras hasta llenar todo el espacio entre el fondo del alero y los dos grandes bloques de piedra. Para completar la tumba, los indios habían logrado desprender un enorme fragmento del alero, que pusieron encima de los dos bloques. Socavamos la tumba de ambos lados, pero no pudimos encontrar ningún resto, ni esqueleto alguno. Probablemente los huesos se habían deshecho por completo (en cuyo caso la tumba debía de ser muy antigua), porque en otro lugar encontré algunos túmulos más pequeños debajo de los cuales descubrí unos cuantos fragmentos que tenían el aspecto de haber pertenecido al esqueleto de un hombre. Según Falconer, cuando muere algún indio lo entierran, pero con posterioridad sus familiares retiran los huesos y los llevan cerca de la costa, por larga que sea la distancia a recorrer. En mi opinión esta costumbre se debe a que los indios seguramente recuerdan que antes de la introducción de los caballos, llevaban casi el mismo tipo de vida que los indígenas de Tierra del Fuego, y que, por consiguiente, vivirían generalmente en las proximidades del mar. Es probable que el deseo de yacer en el mismo sitio que sus antepasados obligue a los indios a llevar la parte menos perecedera de sus cuerpos a los antiguos cementerios de la costa.

In the evening we sailed a few miles further up, and then pitched the tents for the night. By the middle of the next day the yawl was aground, and from the shoalness of the water could not proceed any higher. The water being found partly fresh, Mr. Chaffers took the dingey and went up two or three miles further, where she also grounded, but in a fresh-water river. The water was muddy, and though the stream was most insignificant in size, it would be difficult to account for its origin, except from the melting snow on the Cordillera. At the spot where we bivouacked, we were surrounded by bold cliffs and steep pinnacles of porphyry. I do not think I ever saw a spot which appeared more secluded from the rest of the world, than this rocky crevice in the wide plain.

The second day after our return to the anchorage, a party of officers and myself went to ransack an old Indian grave, which I had found on the summit of a neighbouring hill. Two immense stones, each probably weighing at least a couple of tons, had been placed in front of a ledge of rock about six feet high. At the bottom of the grave on the hard rock there was a layer of earth about a foot deep, which must have been brought up from the plain below. Above it a pavement of flat stones was placed, on which others were piled, so as to fill up the space between the ledge and the two great blocks. To complete the grave, the Indians had contrived to detach from the ledge a huge fragment, and to throw it over the pile so as to rest on the two blocks. We undermined the grave on both sides, but could not find any relics, or even bones. The latter probably had decayed long since (in which case the grave must have been of extreme antiquity), for I found in another place some

9 DE ENERO DE 1834

Antes de que oscureciera, el Beagle ancló en el espacioso puerto de San Julián, situado a unas 110 millas al sur del Port Desire. Permanecimos allí ocho días. El paisaje es muy parecido al de Port Desire, pero tal vez más estéril todavía. Un día, un grupo de hombres acompañamos al capitán Fitz Roy a hacer una excursión alrededor del puerto. Pasamos 11 horas sin agua y algunos integrantes del grupo estaban completamente exhaustos. Desde la cima de una colina (a la que desde entonces designamos con el nombre de Colina Sedienta), descubrimos un hermoso lago interior, y dos hombres del grupo se dirigieron allí con el propósito de indicarnos por medio de señales si el agua era potable. ¡Cuál sería nuestro engaño cuando descubrimos que el lago no era más que un extenso depósito de sal cristalizada en grandes cubos!

smaller heaps beneath which a very few crumbling fragments could yet be distinguished as having belonged to a man. Falconer states, that where an Indian dies he is buried, but that subsequently his bones are carefully taken up and carried, let the distance be ever so great, to be deposited near the sea-coast. This custom, I think, may be accounted for by recollecting, that before the introduction of horses, these Indians must have led nearly the same life as the Fuegians now do, and therefore generally have resided in the neighbourhood of the sea. The common prejudice of lying where one's ancestors have lain, would make the now roaming Indians bring the less perishable part of their dead to their ancient burial-ground on the coast.

JANUARY 9th, 1834

Before it was dark the Beagle anchored in the fine spacious harbour of Port St. Julian, situated about one hundred and ten miles to the south of Port Desire. We remained here eight days. The country is nearly similar to that of Port Desire, but perhaps rather more sterile. One day a party accompanied Captain Fitz Roy on a long walk round the head of the harbour. We were eleven hours without tasting any water, and some of the party were quite exhausted. From the summit of a hill (since well named Thirsty Hill) a fine lake was spied, and two of the party proceeded with concerted signals to show whether it was fresh water. What was our disappointment to find a snow-white expanse of salt, crystallized in great cubes! We attributed our extreme thirst to the dryness of the atmosphere; but whatever the cause might be, we were exceedingly

Bahía de San Julián - *San Julián Bay*

Atribuimos nuestra extremada sed a la sequedad de la atmósfera, pero cualquiera que fuese la
causa, lo cierto es que estuvimos encantados de
regresar a nuestros botes al anochecer. Aunque no
pudimos encontrar ni una sola gota de agua
potable, debe de haberla en aquellos parajes,
porque, por una extraña coincidencia, encontré en la
superficie del agua salada, cerca del extremo de la
bahía, una *Colymbetes* que no estaba muerta todavía
y que debía de haber vivido en algún lago próximo.

El catálogo de los escarabajos del país queda
completo con la enumeración de otros tres insectos
(una *Cincindella* del tipo de las híbridas, una
Cymindis, y una *Harpalus*, cuyas tres especies viven
en llanuras fangosas inundadas periódicamente por
las aguas del mar), además de otro insecto que
encontré muerto en la llanura. Una mosca bastante
grande *(Tabanus)* era muy numerosa allí y nos caus-

Colina sedienta - *Thirsty Hill*

Salina - *Salt lake*

*glad late in the evening to get back to the boats.
Although we could nowhere find, during our whole
visit, a single drop of fresh water, yet some must
exist; for by an odd chance I found on the surface of
the salt water, near the head of the bay, a*
Colymbetes *not quite dead, which must have lived in
some not far distant pool. Three other insects (a*
Cincindela, *like* hybrida, *a* Cymindis, *and a*
Harpalus, *which all live on muddy flats occasionally
overflowed by the sea), and one other found dead on
the plain, complete the list of the beetles. A good-
sized fly (*Tabanus) *was extremely numerous, and
tormented us by its painful bite. The common horsefly,
which is so troublesome in the shady lanes of
England, belongs to this same genus. We here have
the puzzle that so frequently occurs in the case of
musquitoes — on the blood of what animals do these
insects commonly feed? The guanaco is nearly the*

aba grandes molestias con su dolorosa picadura. El tábano común que tanto nos molesta en los paseos sombreados de Inglaterra pertenece a la misma especie. La presencia de estas moscas nos sugirió la misma pregunta que la de los mosquitos: ¿De qué clase de animales de sangre caliente deben alimentarse estos tábanos normalmente? El guanaco es tal vez el único cuadrúpedo de sangre caliente que se encuentra en aquellas regiones, y no es tan numeroso como para proporcionar el alimento que sostiene a los innumerables ejércitos de moscas que por allí pululan.

La geología de la Patagonia es interesante; a diferencia de Europa, donde las formaciones terciarias se han acumulado en las bahías, aquí existe un gran depósito, a lo largo de centenares de millas de costa, en el que están enterradas muchas conchas terciarias, todas ellas extinguidas, o al menos desconocidas hasta ahora. La concha más común es una ostra gigantesca que a veces llega a alcanzar un diámetro de un pie de longitud. Estas capas están cubiertas por otras, de una clase de piedra especialmente blanca, en la que hay

only warm-blooded quadruped, and it is found in quite inconsiderable numbers compared with the multitude of flies.

The geology of Patagonia is interesting. Differently from Europe, where the tertiary formations appear to have accumulated in bays, here along hundreds of miles of coast we have one great deposit, including many tertiary shells, all apparently extinct. The most common shell is a massive gigantic oyster, sometimes even a foot in diameter. These beds are covered by others of a peculiar soft white stone, including much gypsum, and resembling chalk, but really of a pumiceous nature. It is highly remarkable, from being composed, to at least one-tenth of its bulk, of Infusoria. Professor Ehrenberg has already ascertained in it thirty oceanic forms. This bed extends for 500 miles along the coast, and probably for a considerably greater distance. At Port St. Julian its thickness is more than 800 feet! These

mucho yeso pero que en realidad es piedra pómez. Lo curioso del caso es que, al menos una décima parte de su volumen está constituido por infusorios. El profesor Ehrenberg ha llegado a distinguir 30 formas oceánicas. Esta capa se extiende durante unas 500 millas a lo largo de la costa, y quizás más aún. En el puerto de San Julián alcanza una profundidad de más de 800 pies. Estas capas blanquecinas están cubiertas por una zona de grava que tal vez constituye una de las capas más extensas de guijarros que se encuentran en el mundo, ya que se extiende desde cerca del Río Colorado hasta unas 600 ó 700 millas náuticas hacia el sur. En el Santa Cruz (un río que se encuentra hacia el sur de San Julián) esta capa llega hasta el pie de la cordillera; a medio curso del río, tiene un espesor de más de 200 pies. Por término medio podemos calcular que tiene una anchura de unas 200 millas y un espesor de unos 50 pies. Si esta enorme capa de guijarros, sin contar el polvo que se forma necesariamente a causa del roce, estuviese amontonada, formaría una gran cadena montañosa. Si uno piensa en que todas estas piedrecitas tan innumerables como la arena del desierto, se han producido gracias a la caída de masas de roca que se han deslizado lentamente de las orillas de los ríos, y que esos fragmentos fueron luego triturados en otros más pequeños que más tarde debieron ser transportados a grandes distancias, durante cuyo trayecto debieron de redondearse lentamente, no puede menos de quedar estupefacto al calcular la cantidad de años que han sido necesarios para llegar al resultado actual. Además, es preciso tener en cuenta que estos guijarros fueron transportados y

white beds are everywhere capped by a mass of gravel, forming probably one of the largest beds of shingle in the world: it certainly extends from near the Rio Colorado to between 600 and 700 nautical miles southward, at Santa Cruz (a river a little south of St. Julian), it reaches to the foot of the Cordillera; half way up the river, its thickness is more than 200 feet; it probably everywhere extends to this great chain, whence the well-rounded pebbles of porphyry have been derived: we may consider its average breadth as 200 miles, and its average thickness as about 50 feet. If this great bed of pebbles, without including the mud necessarily derived from their attrition, was piled into a mound, it would form a great mountain chain! When we consider that all these pebbles, countless as the grains of sand in the desert, have been derived from the slow falling of masses of rock on the old coast-lines and banks of rivers, and that these fragments have been dashed into smaller pieces, and that each of them has since been slowly rolled, rounded, and far transported the mind is stupefied in thinking over the long, absolutely necessary, lapse of years. Yet all this gravel has been transported, and probably rounded, subsequently to the deposition of the white beds, and long subsequently to the underlying beds with the tertiary shells.

Everything in this southern continent has been effected on a grand scale: the land, from the Rio Plata to Tierra del Fuego, a distance of 1200 miles, has been raised in mass (and in Patagonia to a height of between 300 and 400 feet), within the period of the now existing sea-shells. The old and weathered shells left on the surface of the upraised plain still partially retain their colours. The uprising movement

redondeados posteriormente a la formación de las capas blancas, y desde luego mucho después de que se formaron los yacimientos inferiores que contenían las conchas terciarias.

En este continente meridional todo se ha producido en gran escala; desde el Río de la Plata a Tierra del Fuego -o sea una distancia de 1.200 millas- la tierra se ha levantado en masa (y en la Patagonia hasta una altura de 300 ó 400 pies) dentro del período de las conchas marinas actualmente vivientes. Las viejas conchas curtidas a la intemperie, que se encuentran en la superficie de la llanura, así levantada, conservan todavía en parte sus colores. El movimiento de elevación fue interrumpido, cuando menos, por ocho largos períodos de inmovilidad, durante los cuales el mar fue adentrándose en la tierra, formando, en sucesivos planos, las largas hileras de acantilados y escarpas que separan las distintas llanuras, los que se levantan uno tras otro como los peldaños de una enorme escalera. El movimiento de elevación y la acción del mar durante los períodos de inmovilidad, debieron de ser uniformes a lo largo de muchas millas de costa, porque me sorprendió observar que los peldaños sucesivos se encontraban aproximadamente a la misma altura en lugares muy distantes. El llano más bajo tenía unos 90 pies de altura, y el más alto al que pude ascender cerca de la costa, tenía 950 pies; de este último llano sólo quedan algunos fragmentos en forma de pequeñas colinas achatadas cubiertas de grava.

La llanura superior de Santa Cruz llega a una altura de 3.000 pies en la base de la cordillera. He

has been interrupted by at least eight long periods of rest, during which the sea ate, deeply back into the land, forming at successive levels the long lines of cliffs, or escarpments, which separate the different plains as they rise like steps one behind the other. The elevatory movement, and the eating-back power of the sea during the periods of rest, have been equable over long lines of coast; for I was astonished

dicho ya que durante el período de existencia de las conchas marinas, la Patagonia se ha elevado de 300 a 400 pies; puedo añadir además que durante el período en que los icebergs transportaron los peñascos que se encuentran en la llanura superior de Santa Cruz, la elevación fue como mínimo de 1.500 pies. La Patagonia no ha sido afectada solamente por levantamientos tectónicos; las conchas terciarias extinguidas del puerto de San Julián y de Santa Cruz no podían haber vivido, según el profesor E. Forbes, a una profundidad marítima de más de 40 a 250 pies, mientras que en la actualidad aparecen cubiertas por un estrato de depósito marino de un espesor de 800 a 1.000 pies; de ellos se deduce que el lecho del mar sobre el cual estas conchas debieron vivir, debe de haberse sumergido varios centenares de pies para permitir la acumulación de los estratos superpuestos. Bien puede decirse que la costa de la Patagonia revela toda una historia de cambios geológicos. En Puerto San Julián (4) encontré, entre el fango rojo que cubre la llanura de grava a 90 pies de altura, la mitad del esqueleto de un *Macrauchenia patachonica*, cuadrúpedo muy curioso del tamaño de un camello. Pertenece a la división de los *Pachydermata* en la que figuran los rinocerontes, tapires y paleoterios, pero por la estructura de los huesos de su largo cuello muestra cierto parecido con el camello o mejor con el guanaco o llama.

Del hecho de haberse encontrado conchas marinas recientes en dos de las llanuras más altas, que debieron de haberse formado y levantado antes de que se depositara el barro en el que estaba enterrado el *Macrauchenia*, se deduce que este curioso cuadrúpedo vivió mucho tiempo después de que el mar empezó a ser habitado por las conchas actuales.

to find that the step-like plains stand at nearly corresponding heights at far distant points. The lowest plain is 90 feet high; and the highest, which I ascended near the coast, is 950 feet; and of this, only relics are left in the form of flat gravel-capped hills.

The upper plain of Santa Cruz slopes up to a height of 3000 feet at the foot of the Cordillera. I have said that within the period of existing sea-shells, Patagonia has been upraised 300 to 400 feet: I may add, that within the period when icebergs transported boulders over the upper plain of Santa Cruz, the elevation has been at least 1500 feet. Nor has Patagonia been affected only by upward movements: the extinct tertiary shells from Port St. Julian and Santa Cruz cannot have lived, according to Professor E. Forbes, in a greater depth of water than from 40 to 250 feet; but they are now covered with sea-deposited strata from 800 to 1000 feet in thickness: hence the bed of the sea, on which these shells once lived, must have sunk downwards several hundred feet, to allow of the accumulation of the superincumbent strata. What a history of geological changes does the simply-constructed coast of Patagonia reveal!

At Port St. Julian, [4] in some red mud capping the gravel on the 90-feet plain, I found half the skeleton of the Macrauchenia Patachonica, a remarkable quadruped, full as large as a camel. It belongs to the same division of the Pachydermata with the rhinoceros, tapir, and palaeotherium; but in the structure of the bones of its long neck it shows a clear relation to the camel, or rather to the guanaco and llama. From recent sea-shells being found on two of the higher step-formed plains, which must have been modelled and upraised before the mud was deposited in which

(4) Me han dicho que el capitán Sulivan, RN, ha encontrado numerosos huesos fósiles enterrados en estratos regulares a orillas del río Gallegos, en latitud 51 grados 4'. Algunos de los huesos son grandes; otros, más pequeños, al parecer corresponden a un armadillo. Este descubrimiento es muy interesante e importante.

[4] I have lately heard that Capt. Sulivan, R.N., has found numerous fossil bones, embedded in regular strata, on the banks of the R. Gallegos, in lat. 51 degs. 4'. Some of the bones are large; others are small, and appear to have belonged to an armadillo. This is a most interesting and important discovery.

Al principio me sorprendió que un cuadrúpedo de gran tamaño hubiese podido vivir a los 49° 15' de latitud hasta tiempos tan recientes y en estas llanuras cubiertas de vegetación escasa, pero la semejanza del *Macrauchenia* con el guanaco que actualmente vive en las zonas más estériles, puede solventar en parte esta dificultad.

La semejanza, aunque algo lejana, entre el *Macrauchenia* y el guanaco, entre el toxodon y el carpincho, la evidente relación que existe entre muchos edentados extinguidos y los perezosos, osos hormigueros y armadillos ahora tan característicos de la zoología de América del Sur, así como las más estrechas relaciones que existen entre las especies *Ctenomys* fósiles y las vivientes, y el *Hydrochoerus*, constituyen hechos interesantísimos. Estas relaciones pueden apreciarse maravillosamente –tan maravillosamente como entre los animales marsupiales de Australia actuales y los fósiles– en la gran colección que últimamente trajeron a Europa desde las cuevas del Brasil los señores Lund y Clausen. En esta colección figuran especies extinguidas de los 32 géneros –excepto cuatro– de los cuadrúpedos terrestres que en la actualidad habitan las provincias donde se encuentran dichas cuevas; y las especies extinguidas son mucho más numerosas que las actualmente vivientes; hay fósiles de osos hormigueros, armadillos, tapires, pecaríes, guanacos, zarigüeyas, de numerosos roedores y monos sudamericanos y de otros muchos animales. No me cabe duda que esta maravillosa semejanza entre los animales muertos y vivientes en un mismo continente, en lo sucesivo aportará mucha más luz sobre la aparición y desaparición de los seres orgánicos en la tierra, que cualquier otra clase de hechos.

the Macrauchenia *was entombed, it is certain that this curious quadruped lived long after the sea was inhabited by its present shells. I was at first much surprised how a large quadruped could so lately have subsisted, in lat. 49 degs. 15', on these wretched gravel plains, with their stunted vegetation; but the relationship of the* Macrauchenia *to the* Guanaco, *now an inhabitant of the most sterile parts, partly explains this difficulty.*

The relationship, though distant, between the Macrauchenia *and the* Guanaco, *between the* Toxodon *and the* Capybara, —the closer relationship between the many extinct Edentata and the living sloths, ant-eaters, and armadillos, now so eminently characteristic of South American zoology, —and the still closer relationship between the fossil and living species of Ctenomys and Hydrochaerus, are most interesting facts. This relationship is shown wonderfully —as wonderfully as between the fossil and extinct Marsupial animals of Australia— by the great collection lately brought to Europe from the caves of Brazil by MM. Lund and Clausen. In this collection there are extinct species of all the thirty-two genera, excepting four, of the terrestrial quadrupeds now inhabiting the provinces in which the caves occur; and the extinct species are much more numerous than those now living: there are fossil anteaters, armadillos, tapirs, peccaries, guanacos, opossums, and numerous South American gnawers and monkeys, and other animals. This wonderful relationship in the same continent between the dead and the living, will, I do not doubt, hereafter throw more light on the appearance of organic beings on our earth, and their disappearance from it, than any other class of facts.*

Es imposible reflexionar acerca de los cambios producidos en el continente americano sin experimentar profundo asombro. En la antigüedad, debieron de pulular en él grandes monstruos, mientras que ahora sólo se encuentran verdaderos pigmeos si se los compara con sus antecesores. Si Buffón hubiese tenido conocimiento de la existencia de los gigantes perezosos y animales similares al armadillo y de los desaparecidos paquidermos, hubiera podido afirmar, acercándose más a la verdad, que la fuerza creadora de América ha perdido su poder en lugar de decir que nunca poseyó gran vigor. La gran mayoría –si no todos– de estos cuadrúpedos extinguidos vivieron en un período relativamente próximo y fueron contemporáneos de la mayor parte de las conchas marinas hoy existentes. Desde la época en que vivieron, no pueden haber tenido lugar grandes cambios en la constitución física del país ¿cuál puede ser entonces la causa de la extinción de tantas especies y hasta de géneros enteros? Al principio la mente se siente atraída con fuerza por la creencia de que debió de producirse alguna enorme catástrofe, pero un cataclismo capaz de destruir toda clase de animales, lo mismo grande que pequeños, en la Patagonia meridional, en Brasil, en la cordillera del Perú y en América del Norte hasta el estrecho de Behring forzosamente hubiese tenido que sacudir los mismos cimientos del globo terráqueo.

Además, un estudio de la geología del Plata y de la Patagonia, nos lleva a la conclusión de que todos los cambios en estas tierras debieron tener efecto de una manera lenta y gradual. Por el carácter de los fósiles encontrados en Europa, Asia, Australia y en América del Norte y del Sur, se deduce que las condiciones que favorecieron la vida de los grandes

It is impossible to reflect on the changed state of the American continent without the deepest astonishment. Formerly it must have swarmed with great monsters: now we find mere pigmies, compared with the antecedent, allied races. If Buffon had known of the gigantic sloth and armadillo-like animals, and of the lost Pachydermata, *he might have said with a greater semblance of truth that the creative force in America had lost its power, rather than that it had never possessed great vigour. The greater number, if not all, of these extinct quadrupeds lived at a late period, and were the contemporaries of most of the existing sea-shells. Since they lived, no very great change in the form of the land can have taken place. What, then, has exterminated so many species and whole genera? The mind at first is irresistibly hurried into the belief of some great catastrophe; but thus to destroy animals, both large and small, in Southern Patagonia, in Brazil, on the Cordillera of Peru, in North America up to Behring's Straits, we must shake the entire framework of the globe.*

An examination, moreover, of the geology of La Plata and Patagonia, leads to the belief that all the features of the land result from slow and gradual changes. It appears from the character of the fossils in Europe, Asia, Australia, and in North and South America, that those conditions which favour the life of the larger quadrupeds were lately co-extensive with the world: what those conditions were, no one has yet even conjectured. It could hardly have been a change of temperature, which at about the same time destroyed the inhabitants of tropical, temperate, and arctic latitudes on both sides of the globe. In North America we positively know from Mr. Lyell,

cuadrúpedos fueron, en los últimos tiempos, coetáneas en todo el mundo, pero nadie ha podido averiguar, ni tan sólo conjeturar, cuáles debieron ser tales condiciones. Es difícil que se produjera un cambio de temperatura que casi al mismo tiempo destruyese a los habitantes de las latitudes tropicales, templadas y árticas en todo el mundo. Por lo que se refiere a América del Norte, sabemos con toda seguridad, gracias a las investigaciones de Mr. Lyell, que los grandes cuadrúpedos vivieron con posterioridad al período en que llegaron los grandes peñascos a latitudes a las cuales actualmente los hielos nunca llegan; por conclusión indirecta pero segura podemos afirmar que también en el hemisferio meridional el *Macrauchenia* vivió mucho tiempo después del período de transportes de peñascos por medio de icebergs. ¿Acaso el hombre, al ocupar por primera vez la América del Sur, destruyó, como alguien ha sugerido, al poderoso megaterio y a los otros edentados? Aún admitiendo esta hipótesis, sería preciso buscar alguna otra causa para explicar la destrucción del pequeño tucu-tuco de Bahía Blanca y de los numerosos fósiles de ratones y otros pequeños cuadrúpedos en el Brasil. Tampoco es posible imaginar que una sequía, aunque hubiese sido mucho más severa que las que causan tantos perjuicios a las regiones del Plata, pudiese destruir a todos los ejemplares de cada una de las especies, en una extensión que alcanza desde la Patagonia meridional al estrecho de Behring.

¿Y qué diremos de la extinción del caballo? ¿Acaso no había suficientes pastos en estas llanuras que actualmente alimentan a millares y a centenares de millares de los descendientes de la primera

that the large quadrupeds lived subsequently to that period, when boulders were brought into latitudes at which icebergs now never arrive: from conclusive but indirect reasons we may feel sure, that in the southern hemisphere the Macrauchenia, *also, lived long subsequently to the ice-transporting boulder-period. Did man, after his first inroad into South America, destroy, as has been suggested, the unwieldy* Megatherium *and the other* Edentata? *We must at least look to some other cause for the destruction of the little tucutuco at Bahia Blanca, and of the many fossil mice and other small quadrupeds in Brazil. No one will imagine that a drought, even far severer than those which cause such losses in the provinces of La Plata, could destroy every individual of every species from Southern Patagonia to Behring's Straits.*

What shall we say of the extinction of the horse? Did those plains fail of pasture, which have since been overrun by thousands and hundreds of thousands of the descendants of the stock introduced by the Spaniards? Have the subsequently introduced species consumed the food of the great antecedent races? Can we believe that the Capybara has taken the food of the Toxodon, the Guanaco of the Macrauchenia, *the existing small Edentata of their numerous gigantic prototypes? Certainly, no fact in the long history of the world is so startling as the wide and repeated exterminations of its inhabitants.*

Nevertheless, if we consider the subject under another point of view, it will appear less perplexing. We do not steadily bear in mind, how profoundly ignorant we are of the conditions of existence of every animal; nor do we always remember, that some check is constantly preventing the too rapid

manada introducida por los españoles? ¿Es posible creer que el carpincho haya quitado su comida al toxodon, el guanaco al *Macrauchenia* y los actuales edentados de pequeño tamaño, a sus numerosos prototipos gigantescos? Realmente, en la historia del mundo no hay nada tan sorprendente como las extensas y rápidas extinciones de sus habitantes.

Sin embargo, si consideramos el asunto desde otro punto de vista, nos parecerá menos sorprendente. A veces olvidamos hasta qué punto ignoramos las condiciones de existencia de cada una de las especies animales. Tampoco recordamos siempre que existen obstáculos que impiden la procreación demasiado rápida de los seres orgánicos abandonados en estado natural. La cantidad de alimentos, por término medio, es siempre constante, no obstante, la tendencia de los animales a procrear crece en proporción geométrica. Sus sorprendentes efectos nunca se han podido comprobar de manera más asombrosa que en el caso de los animales europeos que han pasado al estado salvaje durante estos últimos siglos en América. Todo animal en estado natural produce sus crías regularmente, aunque en las especies establecidas desde largo tiempo en determinado lugar es imposible que se produzca un gran incremento en su número, ya que su procreación debe limitarse de alguna manera. Sin embargo, apenas podemos afirmar con un mínimo de certeza -trátese de la especie de que se trate- en qué período de la vida o en qué período del año, o si sólo en prolongados intervalos, este obstáculo deja de actuar, ni, en una palabra cuál es la exacta naturaleza del mencionado obstáculo. A ello se debe tal vez el hecho de que no nos sorprenda mucho descubrir que dos especies que por sus costumbres están estrechamente relacionadas se encuentran en

increase of every organized being left in a state of nature. The supply of food, on an average, remains constant, yet the tendency in every animal to increase by propagation is geometrical; and its surprising effects have nowhere been more astonishingly shown, than in the case of the European animals run wild during the last few centuries in America. Every animal in a state of nature regularly breeds; yet in a species long established, any great increase in numbers is obviously impossible, and must be checked by some means. We are, nevertheless, seldom able with certainty to tell in any given species, at what period of life, or at what period of the year, or whether only at long intervals, the check falls; or, again, what is the precise nature of the check. Hence probably it is, that we feel so little surprise at one, of two species closely allied in habits, being rare and the other abundant in the same district; or, again, that one should be abundant in one district, and another, filling the same place in the economy of nature, should be abundant in a neighbouring district, differing very little in its conditions. If asked how this is, one immediately replies that it is determined by some slight difference, in climate, food, or the number of enemies: yet how rarely, if ever, we can point out the precise cause and manner of action of the check! We are therefore, driven to the conclusion, that causes generally quite inappreciable by us, determine whether a given species shall be abundant or scanty in numbers.

In the cases where we can trace the extinction of a species through man, either wholly or in one limited district, we know that it becomes rarer and rarer, and is then lost: it would be difficult to point out any

el mismo distrito en gran número una de ellas mientras que la otra es muy rara allí; que una abunda mucho en un distrito mientras que la otra, que necesita las mismas condiciones de vida, abunda en una región vecina que difiere muy poco de la anterior, en lo que a sus condiciones de vida se refiere. Si nos preguntan la causa de ello, contestamos de inmediato que este hecho se debe a alguna ligera diferencia en el clima, en los alimentos o en el número de los enemigos de cada especie. Aunque, ¡pocas veces podemos apreciar exactamente la causa y la manera de actuar del obstáculo opuesto a la multiplicación de una especie! Por consiguiente, debemos llegar a la conclusión de que causas generalmente desconocidas para nosotros, determinan la abundancia o escasez en número de una determinada especie animal.

En aquellos casos en que podemos atribuir la extinción de una especie –en su totalidad o en un distrito limitado– a la intervención del hombre, vemos que los ejemplares de aquella especie se tornan cada vez más raros hasta que desaparecen; sería difícil hacer una distinción exacta (5) entre los casos en que una especie es destruida por el hombre o por el aumento del número de sus enemigos naturales. La evidencia del proceso de extinción paulatina es más sorprendente cuando se estudian los sucesivos estratos terciarios, como han observado varios naturalistas; a menudo se ha podido comprobar que una concha muy común en un estrato terciario es actualmente muy rara, hasta el punto de que durante mucho tiempo se la había considerado extinguida por completo. Así pues, si -como parece probable- las especies primero se hacen raras y luego se extinguen, si la procreación demasiado rápida de las especies, como debemos admitir, es constantemente limitada, aunque es

just distinction [5] between a species destroyed by man or by the increase of its natural enemies. The evidence of rarity preceding extinction, is more striking in the successive tertiary strata, as remarked by several able observers; it has often been found that a shell very common in a tertiary stratum is now most rare, and has even long been thought extinct. If then, as appears probable, species first become rare and then extinct —if the too rapid increase of every species, even the most favoured, is steadily checked, as we must admit, though how and when it is hard to say— and if we see, without the smallest surprise, though unable to assign the precise reason, one species abundant and another closely allied species rare in the same district —why should we feel such great astonishment at the rarity being carried one step further to extinction? An action going on, on every side of us, and yet barely appreciable, might surely be carried a little further, without exciting our observation. Who would feel any great surprise at hearing that the Magalonyx was formerly rare compared with the Megatherium, or that one of the fossil monkeys was few in number compared with one of the now living monkeys? and yet in this comparative rarity, we should have the plainest evidence of less favourable conditions for their existence. To admit that species generally become rare before they become extinct— to feel no surprise at the comparative rarity of one species with another, and yet to call in some extraordinary agent and to marvel greatly when a species ceases to exist, appears to me much the same as to admit that sickness in the individual is the prelude to death —to feel no surprise at sickness— but when the sick man dies to wonder, and to believe that he died through violence.

---

(5) Ver los excelentes comentarios hechos sobre este tema por Mr. Lyell en Principles of Geology.

[5] See the excellent remarks on this subject by Mr. Lyell, in his Principles of Geology.

difícil decir cómo y cuándo, y si vemos sin la menor sorpresa, a pesar de que no podamos establecer la causa precisa de ello -que de dos especies estrechamente relacionadas una puede ser muy abundante y la otra muy rara en el mismo distrito- ¿por qué nos asombra tanto que la progresiva rareza de una especie conduzca finalmente a su extinción? Una acción que está en plena actividad ante nuestros propios ojos y que, sin embargo, apenas podemos apreciar, puede perfectamente progresar con lentitud, sin llamarnos la atención. ¿A quién sorprendería saber que el *Megalonyx* fue en la antigüedad muy raro por comparación con el megaterio y que uno de los monos fósiles lo fue también por comparación con uno de los monos en la actualidad vivientes? Y, no obstante, en su mayor o menor rareza, puramente comparativa, tenemos la más clara evidencia de la existencia de condiciones menos favorables para su desarrollo. Admitir -como se admite por lo general- que las especies antes de extinguirse van disminuyendo en cantidad, no experimentar sorpresa alguna ante la relativa rareza de una especie comparada con otra, y, aún así, tener que recurrir a un agente extraordinario y maravillarse cuando una especie deja de existir, me hace el mismo efecto que me produciría admitir que la enfermedad de un hombre es el preludio de su muerte, y sin embargo, cuando el hombre fallece, maravillarse y creer que ha perdido la vida de manera violenta.

capítulo 2

EXPEDICIÓN POR EL RÍO SANTA CRUZ. INDIOS.

INMENSOS DEPÓSITOS DE BASALTO.

FRAGMENTOS NO TRANSPORTADOS POR EL RÍO.

EXCAVACIONES EN EL VALLE.

EL CÓNDOR Y SUS HÁBITOS. CORDILLERA.

GRANDES BLOQUES ERRÁTICOS. RESTOS INDÍGENAS.

REGRESO A LA NAVE. ISLAS FALKLAND*. CABALLOS SALVAJES Y VACAS. CONEJOS.

ZORRO CON ASPECTO DE LOBO. FUEGO HECHO CON HUESOS.

MÉTODO DE CACERÍA DE GANADO CIMARRÓN. GEOLOGÍA.

RÍOS DE PIEDRAS. ESCENAS DE VIOLENCIA.

PINGÜINOS. GANSOS. HUEVOS DE DORIS. ANIMALES COMPUESTOS.

chapter 2

SANTA CRUZ. EXPEDITION UP THE RIVER. INDIANS.

IMMENSE STREAMS OF BASALTIC LAVA.

FRAGMENTS NOT TRANSPORTED BY THE RIVER.

EXCAVATIONS OF THE VALLEY.

CONDOR, HABITS OF. CORDILLERA.

ERRATIC BOULDERS OF GREAT SIZE. INDIAN RELICS.

RETURN TO THE SHIP. FALKLAND ISLANDS. WILD HORSES, CATTLE. RABBITS.

WOLF-LIKE FOX. FIRE MADE OF BONES.

MANNER OF HUNTING WILD CATTLE. GEOLOGY.

STREAMS OF STONES. SCENES OF VIOLENCE.

PENGUINS. GEESE. EGGS OF DORIS. COMPOUND ANIMALS.

Puerto de Santa Cruz - *Port Santa Cruz*

13 DE ABRIL DE 1834

El *Beagle* fondeó en la desembocadura del Santa Cruz. Este río está situado a unas 60 millas al sur del puerto de San Julián. Durante el último viaje, el capitán Stokes remontó la corriente hasta

APRIL 13th, 1834

The Beagle anchored within the mouth of the Santa Cruz. This river is situated about sixty miles south of Port St. Julian. During the last voyage Captain Stokes proceeded thirty miles up it, but

Puerto de Santa Cruz - *Port Santa Cruz*

unas 30 millas hacia el interior, pero luego, por falta de provisiones, tuvo que retroceder. Excepto lo que se descubrió en aquella ocasión, apenas se sabe algo acerca de este gran río. El capitán Fitz Roy decidió seguir su curso hasta tanto nos lo permitiera el tiempo. El día 18 partieron tres botes con provisiones para tres semanas; el equipo constaba de 25 hombres, cuya fuerza se consideraba suficiente para desafiar a un ejército de indios. Gracias a la fuerte marea y al buen tiempo reinante, recorrimos el primer día un gran trecho y pronto pudimos beber agua dulce; al llegar la noche casi habíamos pasado ya la zona de influencia de la marea.

then, from the want of provisions, was obliged to return. Excepting what was discovered at that time, scarcely anything was known about this large river. Captain Fitz Roy now determined to follow its course as far as time would allow. On the 18th three whale-boats started, carrying three weeks' provisions; and the party consisted of twenty-five souls a force which would have been sufficient to have defied a host of Indians. With a strong flood-tide and a fine day we made a good run, soon drank some of the fresh water, and were at night nearly above the tidal influence.

Río Santa Cruz - *Santa Cruz River*

Río Santa Cruz - *Santa Cruz River*

El río, en aquel punto, tiene una anchura que, aún contemplando la corriente desde una cima muy alta a la que llegamos, apenas se veía disminuida. Por término medio puede decirse que la anchura era de 300 a 400 yardas, y la profundidad, en el centro de la corriente, de unos 17 pies. Tal vez lo más notable de este río es que la corriente, todo a lo largo del río, se desliza a una velocidad de cuatro a seis nudos por hora. El agua presenta un hermoso color

The river here assumed a size and appearance which, even at the highest point we ultimately reached, was scarcely diminished. It was generally from three to four hundred yards broad, and in the middle about seventeen feet deep. The rapidity of the current, which in its whole course runs at the rate of from four to six knots an hour, is perhaps its most remarkable feature. The water is of a fine blue colour, but with a slight milky tinge, and not so

Río Santa Cruz - *Santa Cruz River*

azul, aunque con un ligero matiz lechoso, y no es tan transparente como a primera vista puede suponerse. Se desliza sobre un lecho de guijarros, como los que cubren la bahía y las llanuras de los alrededores. Atraviesa un valle que se extiende en línea recta hacia el oeste. La anchura de este valle oscila entre cinco y diez millas, y está limitado por terrazas escalonadas que se levantan en la mayoría de los lugares, una encima de otra, hasta una altura de 500 pies.

transparent as at first sight would have been expected. It flows over a bed of pebbles, like those which compose the beach and the surrounding plains. It runs in a winding course through a valley, which extends in a direct line westward. This valley varies from five to ten miles in breadth; it is bounded by step-formed terraces, which rise in most parts, one above the other, to the height of five hundred feet, and have on the opposite sides a remarkable correspondence.

19 DE ABRIL

Debido a la fuerza de la corriente, era completamente imposible remar o navegar a la vela; por consiguiente amarramos los tres botes uno a continuación del otro y dejando a dos hombres, uno en cada uno de ellos, los demás saltaron a la orilla para arrastrarlos. Como las disposiciones tomadas por el capitán Fitz Roy eran excelentes para facilitar el trabajo de todos, y como todos tomamos parte en la operación, deseo describir este sistema. El grupo de hombres, sin exceptuar a nadie, se dividió en dos bandos, cada uno de los cuales se turnaba en la operación de arrastre cada hora y media. Los oficiales de cada bote vivían con su correspondiente tripulación, comían su mismo rancho y dormían en la misma tienda, de modo que cada bote era completamente independiente de los demás. Después de ponerse el sol, en cuanto llegábamos a un paraje llano donde crecieran matorrales, nos deteníamos para pernoctar. Los hombres de la tripulación se turnaban para ejercer el oficio de cocinero. En cuanto arrastrábamos el bote a tierra, el cocinero encendía el fuego, otros dos hombres armaban la tienda, el timonel sacaba las cosas del interior del bote, y todos los demás las iban trasladando a la tienda, o se dedicaban a recoger leña.

Gracias a eso, en media hora todo estaba preparado para la noche. Montaban la guardia dos hombres y un oficial, cuyo deber consistía en vigilar los botes, conservar el fuego y prevenirse contra un posible ataque de los indios. Cada hombre de la tripulación tenía asignada una hora de guardia todas las noches. Durante este día avanzamos muy poco, porque había muchos islotes cubiertos de espinos, y los canales que los separaban eran poco profundos.

APRIL 19th

Against so strong a current it was, of course, quite impossible to row or sail: consequently the three boats were fastened together head and stern, two hands left in each, and the rest came on shore to track. As the general arrangements made by Captain Fitz Roy were very good for facilitating the work of all, and as all had a share in it, I will describe the system. The party including every one, was divided into two spells, each of which hauled at the tracking line alternately for an hour and a half. The officers of each boat lived with, ate the same food, and slept in the same tent with their crew, so that each boat was quite independent of the others. After sunset the first level spot where any bushes were growing, was chosen for our night's lodging. Each of the crew took it in turns to be cook. Immediately the boat was hauled up, the cook made his fire; two others pitched the tent; the coxswain handed the things out of the boat; the rest carried them up to the tents and collected firewood. By this order, in half an hour everything was ready for the night. A watch of two men and an officer was always kept, whose duty it was to look after the boats, keep up the fire, and guard against Indians. Each in the party had his one hour every night.

During this day we tracked but a short distance, for there were many islets, covered by thorny bushes, and the channels between them were shallow.

APRIL 20th

We passed the islands and set to work. Our regular day's march, although it was hard enough, carried us on an average only ten miles in a straight line, and perhaps fifteen or twenty altogether.

---

* Con el propósito de mantener la fidelidad a la edición original en inglés, se ha respetado la denominación que el autor otorga a las Islas Malvinas. (N. del E.)

Río Santa Cruz

20 DE ABRIL

Dejamos atrás los islotes y nos abocamos al trabajo. El promedio de marcha, que era muy dura, resultaba sólo de 10 millas en línea recta, que equivalían a unas 15 o 20 en realidad. Más allá del lugar donde dormimos la última noche, la comarca es completamente *terra incognita*, porque fue allí donde el capitán Stokes se detuvo para emprender el regreso.Vimos a la distancia una gran humareda y encontramos el esqueleto de un caballo, de lo que dedujimos que los indios no estaban lejos. A la mañana siguiente (día 21), en la orilla pudimos observar huellas de un grupo de caballos y las señales dejadas por los chuzos al ser arrastrados

Beyond the place where we slept last night, the country is completely -terra incognita- for it was there that Captain Stokes turned back. We saw in the distance a great smoke, and found the skeleton of a horse, so we knew that Indians were in the neighbourhood. On the next morning (21st) tracks of a party of horse, and marks left by the trailing of the chuzos, or long spears, were observed on the ground. It was generally thought that the Indians had reconnoitred us during the night. Shortly afterwards we came to a spot where, from the fresh footsteps of men, children, and horses, it was evident that the party had crossed the river.

por el suelo. La opinión general fue que los indios habían venido durante la noche para observarnos. Poco después llegamos a un lugar por donde, evidentemente, el grupo de indios había atravesado el río, puesto que encontramos huellas frescas de hombres, niños y caballos.

22 DE ABRIL

El paisaje no cambiaba y era muy poco interesante. La absoluta similitud de los productos vitales en toda la Patagonia es una de sus características más notables. Las llanuras cubiertas de guijarros dan vida a las mismas plantas enanas y escasas, y en todos los valles crecen los mismos matorrales espinosos. En todas partes vimos los mismos pájaros e insectos. Hasta las orillas del río y las de los arroyuelos que desembocan en él, apenas se ven alegradas por un ligero toque de verde. La maldición de esterilidad pesa sobre esta tierra, y el agua, que se desliza sobre un lecho de piedras, participa de la misma maldición. Por eso el número de aves acuáticas es muy escaso, ya que la corriente de este río inhóspito ofrece pocas posibilidades para la vida.

La Patagonia, a pesar de ser tan pobre en algunos aspectos, puede, sin embargo, enorgullecerse de una gran variedad de pequeños roedores (1), superior a la que se encuentra en cualquier otro país del mundo. Varias especies de ratones se caracterizan en su aspecto exterior por sus grandes y delgadas orejas y su pelaje extraordinariamente fino. Estos animalitos pululan entre los matorrales de los valles donde, durante meses enteros, no pueden beber ni una sola gota de agua si se exceptúa el rocío. Al pa-recer todos ellos son caníbales, porque en

(1) Volney (tom. i, pág. 351) dice que los desiertos de Siria se caracterizan por los arbustos leñosos, numerosas especies de ratas, las gacelas y las liebres. En el paisaje de la Patagonia, el guanaco reemplaza a la gacela, y el agutí a la liebre.

APRIL 22th

The country remained the same, and was extremely uninteresting. The complete similarity of the productions throughout Patagonia is one of its most striking characters. The level plains of arid shingle support the same stunted and dwarf plants; and in the valleys the same thorn-bearing bushes grow. Everywhere we see the same birds and insects. Even the very banks of the river and of the clear streamlets which entered it, were scarcely enlivened by a brighter tint of green. The curse of sterility is on the land, and the water flowing over a bed of pebbles partakes of the same curse. Hence the number of waterfowl is very scanty; for there is nothing to support life in the stream of this barren river.

Patagonia, poor as she is in some respects, can however boast of a greater stock of small rodents [1]

[1] The desserts of Syria are characterized, according to Volney (tom. i. p. 351), by woody bushes, numerous rats, gazelles and hares. In the landscape of Patagonia, the guanaco replaces the gazelle, and the agouti the hare.

cuanto atrapaba una rata en mis trampas, las otras la devoraban de inmediato. Es asimismo muy abundante un pequeño zorro de formas delicadas que tal vez se sostiene solo a base de estos pequeños animales. También el guanaco se encuentra allí a sus anchas, y con frecuencia se ven manadas de 50 a 100 ejemplares, y como ya se ha dicho, llegué a ver una formada por 500. El puma, así como el cóndor y algunas otras aves de presa, persiguen y cazan a estos animales. En casi todos los puntos de las orillas del río se pueden ver las huellas del puma; y los restos de varios guanacos con los cuellos dislocados y los huesos rotos demuestran cómo encontraron la muerte en sus garras.

24 DE ABRIL

Lo mismo que los navegantes de los tiempos antiguos cuando llegaban a una tierra desconocida, examinábamos con la mayor atención los menores síntomas de un cambio. Saltábamos con alegría a la vista de un tronco de árbol flotando en el agua o de un peñasco de roca primaria, como si hubiésemos visto un bosque creciendo en las laderas de la cordillera. Con todo, el síntoma más prometedor, que casi constituía un presagio, era un castillo de nubes que permanecía siempre en la misma posición. Al principio confundimos estas nubes con las montañas, cuando en realidad sólo eran masas de vapor condensadas sobre las cumbres cubiertas de hielo.

26 DE ABRIL

Observamos un marcado cambio en la estructura geológica de las llanuras. Desde el primer momento de nuestro viaje había examinado con

than perhaps any other country in the world. Several species of mice are externally characterized by large thin ears and a very fine fur. These little animals swarm amongst the thickets in the valleys, where they cannot for months together taste a drop of water excepting the dew. They all seem to be cannibals; for no sooner was a mouse caught in one of my traps than it was devoured by others. A small and delicately shaped fox, which is likewise very abundant, probably derives its entire support from these small animals. The guanaco is also in his proper district, herds of fifty or a hundred were common; and, as I have stated, we saw one which must have contained at least five hundred. The puma, with the condor and other carrion-hawks in its train, follows and preys upon these animals. The footsteps of the puma were to be seen almost everywhere on the banks of the river; and the remains of several guanacos, with their necks dislocated and bones broken, showed how they had met their death.

APRIL 24th

Like the navigators of old when approaching an unknown land, we examined and watched for the most trivial sign of a change. The drifted trunk of a tree, or a boulder of primitive rock, was hailed with joy, as if we had seen a forest growing on the flanks of the Cordillera. The top, however, of a heavy bank of clouds, which remained almost constantly in one position, was the most promising sign, and eventually turned out a true harbinger. At first the clouds were mistaken for the mountains themselves, instead of the masses of vapour condensed by their icy summits.

cuidado las piedras del cauce del río, y durante los últimos dos días descubrí la presencia de unas cuantas piedras de basalto muy celular. El número y tamaño de estas piedras iba aumentando en forma gradual, aunque nunca ninguna de ellas alcanzaba el tamaño de la cabeza de un hombre. Esta mañana, sin embargo, vimos gran cantidad de piedras de la misma clase de roca, aunque más compacta; y en el curso de media hora pudimos observar, a la distancia de cinco o seis millas, el filo angular de una gran plataforma basáltica. Cuando llegamos a la base de esta plataforma, observamos que el agua burbujeaba entre los bloques que habían caído al río. Durante las 28 millas siguientes, el curso del río parecía embarazado por estas masas basálticas. A partir de este límite abundaban inmensos fragmentos de roca primitiva, procedentes de las formaciones rocosas de los alrededores. Ninguno de los fragmentos de tamaño considerable había sido arrastrado más de tres o cuatro millas desde el lugar de procedencia; teniendo en cuenta la extraordinaria rapidez del volumen de agua del Santa Cruz, el hecho constituye un ejemplo convincente de la ineficacia de los ríos en cuanto al transporte de fragmentos, aun cuando sean de tamaño discreto.

El basalto no es más que lava que ha permanecido sumergida en el mar; pero las erupciones deben de haberse producido en gran escala. En el lugar donde encontramos por primera vez una formación basáltica, ésta tenía un espesor de 120 pies; a medida que remontamos el curso del río, la superficie, de manera imperceptible, iba levantándose, y la masa ganaba en espesor, de modo que a unas 40 millas a partir de la primera formación

We this day met with a marked change in the geological structure of the plains. From the first starting I had carefully examined the gravel in the river, and for the two last days had noticed the presence of a few small pebbles of a very cellular basalt. These gradually increased in number and in size, but none were as large as a man's head. This morning, however, pebbles of the same rock, but more compact, suddenly became abundant, and in the course of half an hour we saw, at the distance of five or six miles, the angular edge of a great basaltic platform. When we arrived at its base we found the stream bubbling among the fallen blocks. For the next twenty-eight miles the river-course was encumbered with these basaltic masses. Above that limit immense fragments of primitive rocks, derived from its surrounding boulder-formation, were equally numerous. None of the fragments of any considerable size had been washed more than three or four miles down the river below their parent-source: considering the singular rapidity of the great body of water in the Santa Cruz, and that no still reaches occur in any part, this example is a most striking one, of the inefficiency of rivers in transporting even moderately-sized fragments.

The basalt is only lava, which has flowed beneath the sea; but the eruptions must have been on the grandest scale. At the point where we first met this formation it was 120 feet in thickness; following up the river course, the surface imperceptibly rose and the mass became thicker, so that at forty miles above the first station it was 320 feet thick. What the thickness may be close to the Cordillera, I have no

alcanzaba ya un grosor de 320 pies. No he podido averiguar cuál podría ser el espesor de esta masa de basalto al pie de la cordillera, pero sé que la plataforma alcanza allí una altura de unos 3.000 pies por encima del nivel del mar. Por consiguiente, debemos buscar la fuente de estas corrientes basálticas en las montañas de aquella gran cadena; y son en verdad dignas de tal fuente las corrientes que se han deslizado por el fondo ligeramente inclinado del mar hasta una distancia de un centenar de millas. Basta una ojeada a los acantilados basálticos del lado opuesto del valle para comprender que en otro tiempo los estratos estuvieron unidos. ¿Qué poder, entonces, ha sido capaz de remover, todo a lo largo de la región, una masa sólida de roca durísima, que tiene un espesor medio de casi 300 pies y una anchura que oscila entre dos y cuatro millas? El río, a pesar de que tiene tan poca fuerza para arrastrar fragmentos de roca, puede, durante el transcurso de muchísimos años, producir efectos de erosión cuya fuerza es difícil evaluar. Pero en este caso, dejando aparte la insignificancia de este agente, existen buenas razones para creer que este valle estaba ocupado antiguamente por un brazo del mar. No es necesario detallar en esta obra los argumentos que conducen a esta conclusión, derivados de la forma y la naturaleza de las terrazas escalonadas que se encuentran a ambos lados del valle, así como de la forma en que el fondo de dicho valle, cerca de los Andes, se ensancha formando una llanura semejante a un estuario, con sus correspondientes dunas, y también del descubrimiento de unas pocas conchas marinas enterradas en el lecho del

means of knowing, but the platform there attains a height of about three thousand feet above the level of the sea: we must therefore look to the mountains of that great chain for its source; and worthy of such a source are streams that have flowed over the gently inclined bed of the sea to a distance of one hundred miles. At the first glance of the basaltic cliffs on the opposite sides of the valley, it was evident that the strata once were united. What power, then, has removed along a whole line of country, a solid mass of very hard rock, which had an average thickness of nearly three hundred feet, and a breadth varying from rather less than two miles to four miles? The river, though it has so little power in transporting even inconsiderable fragments, yet in the lapse of ages might produce by its gradual erosion an effect of which it is difficult to judge the amount. But in this case, independently of the insignificance of such an agency, good reasons can be assigned for believing that this valley was formerly occupied by an arm of the sea. It is needless in this work to detail the arguments leading to this conclusion, derived from the form and the nature of the step-formed terraces on both sides of the valley, from the manner in which the bottom of the valley near the Andes expands into a great estuary-like plain with sand-hillocks on it, and from the occurrence of a few sea-shells lying in the bed of the river. If I had space I could prove that South America was formerly here cut off by a strait, joining the Atlantic and Pacific oceans, like that of Magellan. But it may yet be asked, how has the solid basalt been moved? Geologists formerly would have brought into play, the violent action of some overwhelming debacle; but in this case such a

río. Si tuviera suficiente espacio para ello, podría demostrar que en la antigüedad, América del Sur estaba partida en dos por un estrecho que pasaba por este lugar y que ponía en comunicación los océanos Atlántico y Pacífico, lo mismo que el Magallanes. No obstante, la pregunta queda en pie: ¿Cómo pudo variar de lugar la masa de basalto sólido? Los antiguos geólogos lo hubiesen atribuido a la acción violenta de alguna catástrofe aterradora, pero en este caso tal suposición es por completo inadmisible, porque las mismas llanuras escalonadas en cuya superficie yacen conchas marinas vivientes en la actualidad, que se encuentran a todo lo largo de la costa patagónica, cubren las dos laderas del valle de Santa Cruz. No es posible que una inundación haya modelado de esta forma la tierra, ni en el valle, ni en la costa, y precisamente el valle se ha formado como consecuencia de estas llanuras o terrazas escalonadas. Aunque no ignoramos que existen mareas que corren entre los canales del

supposition would have been quite inadmissible; because, the same step-like plains with existing sea-shells lying on their surface, which front the long line of the Patagonian coast, sweep up on each side of the valley of Santa Cruz. No possible action of any flood could thus have modelled the land, either within the valley or along the open coast; and by the formation of such step-like plains or terraces the valley itself had been hollowed out. Although we know that there are tides, which run within the Narrows of the Strait of Magellan at the rate of eight knots an hour, yet we must confess that it makes the head almost giddy to reflect on the number of years, century after century, which the tides, unaided by a heavy surf, must have required to have corroded so vast an area and thickness of solid basaltic lava. Nevertheless, we must believe that the strata undermined by the waters of this ancient strait, were broken up into huge fragments, and these lying scattered on the beach, were reduced first to smaller blocks, then to

Estrecho de Magallanes a una velocidad de ocho nudos por hora, debemos confesar que es para volverse loco el pensar en el número de años, siglo tras siglo, durante los cuales las mareas, luchando contra una superficie durísima, debieron haber corroído un área tan extensa y el extraordinario espesor de la lava solidificada en forma de basalto. Debemos creer, sin embargo, que los estratos, minados por las aguas de este antiquísimo estrecho, se rompieron en enormes fragmentos que fueron a su vez reducidos en bloques más pequeños primero y luego en guijarros y finalmente se convirtieron en barro impalpable que las mareas han transportado muy lejos hacia los océanos occidental y oriental.

El carácter del paisaje se alteró con el cambio de la estructura geológica de las llanuras. Recorriendo algunos de los estrechos y rocosos desfiladeros, me sentía transportado de nuevo a los estériles valles de la Isla de San Yago. Entre los acantilados basálticos encontré algunas plantas que no había visto en parte alguna, pero vi otras a las que reconocí como procedentes de Tierra del Fuego. Estas rocas porosas sirven como receptáculo de las escasas gotas de lluvia, y por ello pueden verse pequeños manantiales (cosa que rara vez ocurre en la Patagonia) en los lugares donde se unen las formaciones ígneas y las sedimentarias. Estos manantiales podían distinguirse a gran distancia por las manchas del verde follaje que los rodea.

27 DE ABRIL

El lecho del río fue estrechándose y la corriente se hizo todavía más rápida. En este punto, el agua se deslizaba a una velocidad de seis nudos por

pebbles and lastly to the most impalpable mud, which the tides drifted far into the Eastern or Western Ocean.

With the change in the geological structure of the plains the character of the landscape likewise altered. While rambling up some of the narrow and rocky defiles, I could almost have fancied myself transported back again to the barren valleys of the island of St. Jago. Among the basaltic cliffs, I found some plants which I had seen nowhere else, but others I recognised as being wanderers from Tierra del Fuego. These porous rocks serve as a reservoir for the scanty rain-water; and consequently on the line where the igneous and sedimentary formations unite, some small springs (most rare occurrences in Patagonia) burst forth; and they could be distinguished at a distance by the circumscribed patches of bright green herbage.

APRIL 27th

The bed of the river became rather narrower, and hence the stream more rapid. It here ran at the rate of six knots an hour. From this cause, and from the many great angular fragments, tracking the boats became both dangerous and laborious. This day I shot a condor. It measured from tip to tip of the wings, eight and a half feet, and from beak to tail, four feet. This bird is known to have a wide geographical range, being found on the west coast of South America, from the Strait of Magellan along the Cordillera as far as eight degrees north of the equator. The steep cliff near the mouth of the Rio Negro is its northern limit on the Patagonian coast; and they have there wandered about four hundred miles from

hora. Debido a ello y también a causa de los numerosos fragmentos angulares, la tarea de arrastrar los botes era dura y peligrosa. Este día maté a un cóndor. Medía ocho pies y medio, de un extremo a otro de sus alas, y cuatro pies desde el pico a la cola. Es sabido que la extensión geográfica donde habita es amplia, y en la costa occidental de América del Sur se le encuentra desde el Estrecho de Magallanes, por la cordillera, hasta los ocho grados al norte del Ecuador. En la costa de la Patagonia, su límite septentrional lo constituyen los abruptos acantilados de la desembocadura del Río Negro; y se han extendido cerca de 400 millas más allá de la gran región central de los Andes. No es extraño hallar algunos de ellos, más al sur, entre los enormes precipicios de Port Desire. Sin embargo, sólo en contadas ocasiones se lo ve cerca del mar. Estas aves frecuentan la línea de acantilados que se encuentra cerca de la desembocadura del Santa Cruz, y también a unas 80 millas río arriba, donde las laderas del valle están formadas por precipicios basálticos muy empinados.

De todo ello parece que puede deducirse que el cóndor necesita acantilados perpendiculares. En Chile, durante la mayor parte del año, frecuentan las tierras bajas, próximas a la costa del Pacífico, y por la noche suelen reunirse todos en la copa de algún árbol pero a principios de verano se retiran a las partes más inaccesibles de la cordillera interior para criar.

Con respecto a su propagación, me dijeron los nativos que los cóndores no hacen nido de ninguna clase, sino que en los meses de noviembre y diciembre ponen dos grandes huevos blancos al borde de una roca pelada. Según se dice, las crías de cóndor

the great central line of their habitation in the Andes. Further south, among the bold precipices at the head of Port Desire, the condor is not uncommon; yet only a few stragglers occasionally visit the seacoast. A line of cliff near the mouth of the Santa Cruz is frequented by these birds, and about eighty miles up the river, where the sides of the valley are formed by steep basaltic precipices, the condor reappears. From these facts, it seems that the condors require perpendicular cliffs. In Chile, they haunt, during the greater part of the year, the lower country near the shores of the Pacific, and at night several roost together in one tree; but in the early part of summer, they retire to the most inaccessible parts of the inner Cordillera, there to breed in peace.

With respect to their propagation, I was told by the country people in Chile, that the condor makes

Cóndor (Vulthur gryphus) - *Andean condor (Vulthur gryphus)*

no sort of nest, but in the months of November and December lays two large white eggs on a shelf of bare rock. It is said that the young condors cannot

tardan un año en aprender a volar y aun durante mucho tiempo después de haber aprendido, se las ve andar de caza y pernoctar en compañía de sus padres. Los individuos viejos van por lo general en parejas, pero en los acantilados basálticos del interior de Santa Cruz encontré un lugar donde pululaban en gran número. Al acercarme súbitamente al borde del precipicio pude contemplar el espectáculo de 20 o 30 de estas grandes aves que arrancaron el vuelo y empezaron a volar en espaciosos círculos. Por la cantidad de guano depositado en la roca, resultaba evidente que los cóndores debían frecuentar aquel paraje desde muy antiguo, con el fin de pernoctar y multiplicarse. Cuando han comido en las tierras bajas, se retiran a esos lugares abruptos para digerir la comida. Por esto el cóndor, como el gallinazo, debe considerarse en cierta forma como un ave gregaria. En esta parte de la región suelen alimentarse a base de los guanacos que encuentran muertos de muerte natural, o, lo que es más frecuente, víctimas del puma. Por lo que pude ver en la Patagonia, creo que sólo en raras ocasiones extienden sus vuelos a alguna distancia de sus lugares de refugio.

fly for an entire year; and long after they are able, they continue to roost by night, and hunt by day with their parents. The old birds generally live in pairs; but among the inland basaltic cliffs of the Santa Cruz, I found a spot, where scores must usually haunt. On coming suddenly to the brow of the precipice, it was a grand spectacle to see between twenty and thirty of these great birds start heavily from their resting-place, and wheel away in majestic circles. From the quantity of dung on the rocks, they must long have frequented this cliff for roosting and breeding. Having gorged themselves with carrion on the plains below, they retire to these favourite ledges to digest their food. From these facts, the condor, like the gallinazo, must to a certain degree be considered as a gregarious bird. In this part of the country they live altogether on the guanacos which have died a natural death, or as more commonly happens, have been killed by the pumas. I believe, from what I saw in Patagonia, that they do not on ordinary occasions extend their daily excursions to any great distance from their regular sleeping-places.

The condors may oftentimes be seen at a great height, soaring over a certain spot in the most graceful circles. On some occasions I am sure that they do this only for pleasure, but on others, the Chileno countryman tells you that they are watching a dying animal, or the puma devouring its prey. If the condors glide down, and then suddenly all rise together, the Chileno knows that it is the puma which, watching the carcass, has sprung out to drive away the robbers. Besides feeding on carrion, the condors frequently attack young goats and lambs; and the shepherd-dogs are trained, whenever they pass over, to run out, and

Cóndor (Vulthur gryphus) - *Andean condor (Vulthur gryphus)*

A menudo se puede ver a los cóndores volando a gran altura, y cerniéndose sobre un determinado lugar, formando círculos llenos de gracia. En algunas ocasiones estoy seguro de que llevan a cabo este ejercicio por simple placer, pero en otras el labrador chileno asegura que están acechando a un animal moribundo, o al puma en el acto de devorar su presa. Si se ve a los cóndores posarse en el suelo y luego levantar el vuelo todos a la vez, según los chilenos puede afirmarse con toda seguridad que un puma está vigilando a su presa y ahuyenta a los ladrones. Además de alimentarse de carroña, los cóndores atacan también a los cabritos y a los corderos. Por esto se suele enseñar a los perros de pastor a que, en cuanto ven a un cóndor, salgan corriendo a ladrar fuertemente hacia arriba. Los chilenos matan y atrapan a muchas de estas aves, para lo cual utilizan dos métodos: uno de ellos consiste en colocar carroña en un lugar llano y dentro de un vallado en el que sólo hay una estrecha puerta. Cuando el cóndor se posa en esta trampa y come hasta saciarse, el jinete cabalga con rapidez en dirección a la entrada, y de este modo el ave, falta de espacio para tomar vuelo, se ve encerrada en el vallado. El segundo método consiste en marcar de día los árboles donde suelen pernoctar los cóndores, y luego, treparse y enlazarlos, lo cual no resulta nada difícil puesto que, como he podido comprobar personalmente, tienen un sueño muy pesado. En Valparaíso vi vender un cóndor por seis peniques, pero el precio normal es de ocho a diez chelines. Vi también un cóndor que llevaron al mercado, gravemente herido y atado con una cuerda, el cual, sin embargo, en cuanto le cortaron las

looking upwards to bark violently. The Chilenos destroy and catch numbers. Two methods are used; one is to place a carcass on a level piece of ground within an enclosure of sticks with an opening, and when the condors are gorged, to gallop up on horseback to the entrance, and thus enclose them: for when this bird has not space to run, it cannot give its body sufficient momentum to rise from the ground. The second method is to mark the trees in which, frequently to the number of five or six together, they roost, and then at night to climb up and noose them. They are such heavy sleepers, as I have myself witnessed, that this is not a difficult task. At Valparaiso, I have seen a living condor sold for sixpence, but the common price is eight or ten shillings. One which I saw brought in, had been tied with rope, and was much injured; yet, the moment the line was cut by which its bill was secured, although surrounded by people, it began ravenously to tear a piece of carrion. In a garden at the same place, between twenty and thirty were kept alive. They were fed only once a week, but they appeared in pretty good health. [2] The Chileno countrymen assert that the condor will live, and retain its vigour, between five and six weeks without eating: I cannot answer for the truth of this, but it is a cruel experiment, which very likely has been tried.

When an animal is killed in the country, it is well known that the condors, like other carrion-vultures, soon gain intelligence of it, and congregate in an inexplicable manner. In most cases it must not be overlooked, that the birds have discovered their prey, and have picked the skeleton clean, before the flesh is in the least degree tainted. Remembering the experiments of M. Audubon, on the little smelling

[2] I noticed that several hours before any one of the condors died, all the lice, with which it was infested, crawled to the outside feathers. I was assured that this always happens.

ataduras que le obligaban a mantener cerrado el pico, se arrojó sobre un pedazo de carroña y empezó a devorarlo con furia, a pesar de que estaba rodeado de gente. En un parque de aquel mismo lugar había de 20 a 30 ejemplares vivos. Sólo se les daba comida una vez por semana, pero parecían gozar de bastante buena salud. (2) Los labradores chilenos aseguran que un cóndor puede vivir y conservar íntegras todas sus fuerzas, después de pasar cinco o seis semanas sin probar bocado. No puedo asegurar que ello sea cierto, pero es bastante probable que este experimento cruel se haya llevado a cabo más de una vez.

Ya es sabido que, cuando muere un animal, los cóndores -como todas las aves rapaces- se enteran de inmediato de ello y acuden a su vera en gran número. Es curioso observar que, en la mayoría de los casos, las aves acuden y devoran al animal antes de que la carroña empiece a heder. Recordando los experimentos de M. Audubon acerca del poco olfato de los buitres, en el parque citado llevé a cabo el siguiente experimento: los cóndores estaban atados en forma independiente, al pie de un muro. Envolví un pedazo de carne en un trozo de papel y estuve paseándome frente a ellos, a unas tres yardas de los cóndores, sin que al parecer adivinaran de qué se trataba. Luego arrojé el paquetito al suelo, a una yarda de un cóndor macho viejo, el cual lo miró un momento, pero luego dejó de prestarle atención. Con un palo lo empujé más cerca del animal hasta que lo tocó con el pico. Sólo entonces se arrojó sobre el paquetito y le arrancó el papel con furia: de inmediato todos los demás cóndores acudieron agitando las alas y chillando

powers of carrion-hawks, I tried in the above-mentioned garden the following experiment: the condors were tied, each by a rope, in a long row at the bottom of a wall; and having folded up a piece of meat in white paper, I walked backwards and forwards, carrying it in my hand at the distance of about three yards from them, but no notice whatever was taken. I then threw it on the ground, within one yard of an old male bird; he looked at it for a moment with attention, but then regarded it no more. With a stick I pushed it closer and closer, until at last he touched it with his beak; the paper was then instantly torn off with fury, and at the same moment, every bird in the long row began struggling and flapping its wings. Under the same circumstances, it would have been quite impossible to have deceived a dog. The evidence in favour of and against the acute smelling powers of carrion-vultures is singularly balanced. Professor Owen has demonstrated that the olfactory nerves of the turkey-buzzard (Cathartes aura) are highly developed, and on the evening when Mr. Owen's paper was read at the Zoological Society, it was mentioned by a gentleman that he had seen the carrion-hawks in the West Indies on two occasions collect on the roof of a house, when a corpse had become offensive from not having been buried, in this case, the intelligence could hardly have been acquired by sight. On the other hand, besides the experiments of Audubon and that one by myself, Mr. Bachman has tried in the United States many varied plans, showing that neither the turkey-buzzard (the species dissected by Professor Owen) nor the gallinazo find their food by smell. He covered portions of highly-offensive offal with a thin canvas cloth, and strewed pieces of meat

(2) Noté que varias horas antes de morir alguno de los cóndores, todos los piojos que lo infestaban salieron hacia las plumas exteriores. Me dijeron que esto sucede siempre.

agriamente. En las mismas circunstancias hubiese sido imposible engañar a un perro. Las pruebas a favor y en contra de la agudeza del sentido del olfato en los cóndores están muy igualadas. El profesor Owen ha demostrado que los nervios olfativos del buitre *(Cathartes aura)* están muy desarrollados, y en la misma velada en que se leyó el informe de Mr. Owen en la Sociedad Zoológica, un caballero explicó que en cierta ocasión, en las Indias Occidentales, había visto cómo los buitres se reunían en el tejado de una casa donde había un difunto que empezaba a heder. En ese caso, es evidente que las aves no pudieron tener conocimiento de ello por medio de la vista.

Por otra parte, además de los experimentos de M. Audubon y del mío que acabo de referir, Mr. Bachman ha llevado a cabo otros varios en los Estados Unidos, que demuestran que ni el buitre (la especie disecada por el profesor Owen) ni el gallinazo descubren la comida por medio del olfato. Cubrió algunos pedazos de tripa hedionda con un trozo de tela delgada y esparció un poco de carne por encima de ella; los buitres la devoraron a toda prisa y luego permanecieron con tranquilidad sobre la tela con sus picos a un octavo de pulgada de la carroña y sin descubrirla. Se practicó un agujero en la tela, y los buitres descubrieron de inmediato el contenido; se colocó luego una tela nueva y sobre ella se extendieron otros trozos de carne que fueron devorados una vez más por los buitres que no descubrieron el contenido oculto sobre la que se hallaban posados. Estos hechos han sido atestiguados por seis personas, además de Mr. Bachman (3). En más de una ocasión hallándome tendido en el suelo

on it: these the carrion-vultures ate up, and then remained quietly standing, with their beaks within the eighth of an inch of the putrid mass, without discovering it. A small rent was made in the canvas, and the offal was immediately discovered; the canvas was replaced by a fresh piece, and meat again put on it, and was again devoured by the vultures without their discovering the hidden mass on which they were trampling. These facts are attested by the signatures of six gentlemen, besides that of Mr. Bachman. [3]

Often when lying down to rest on the open plains, on looking upwards, I have seen carrion-hawks sailing through the air at a great height. Where the country is level I do not believe a space of the heavens, of more than fifteen degrees above the horizon, is commonly viewed with any attention by a person either walking or on horseback. If such be the case, and the vulture is on the wing at a height of between three and four thousand feet, before it could come within the range of vision, its distance in a straight line from the beholder's eye, would be rather more than two British miles. Might it not thus readily be overlooked? When an animal is killed by the sportsman in a lonely valley, may he not all the while be watched from above by the sharp-sighted bird? And will not the manner of its descent proclaim throughout the district to the whole family of carrion-feeders, that their prey is at hand?

When the condors are wheeling in a flock round and round any spot, their flight is beautiful. Except when rising from the ground, I do not recollect ever having seen one of these birds flap its wings. Near Lima, I watched several for nearly half an hour,

de las inmensas llanuras, he visto cruzar por el aire a gran altura bandadas de estos buitres. En los lugares que el país es llano, no creo que una persona -a pie o montada- alcance a ver con claridad un espacio de cielo superior a 15 grados por encima del horizonte. En este caso, y teniendo en cuenta que los buitres vuelan a una altura que oscila entre los 3.000 y 4.000 pies, la distancia en línea recta a que se encuentra uno de estos pájaros, antes de entrar en el campo visual del observador, es de algo más de dos millas inglesas. ¿No es, entonces, muy lógico que se escape a la vista? ¿No es también posible que cuando un cazador mata a un animal en un valle solitario, se halle bajo la mirada penetrante de uno de estos animales? Y su forma de descender, ¿no será una manera de advertir a sus congéneres en toda la extensión del distrito, que su presa está a la vista?

Es admirable el vuelo de los cóndores cuando describen círculos en bandadas alrededor de algún punto determinado. Excepto en las ocasiones en que levantan vuelo, no recuerdo haberles visto batir las alas. En los alrededores de Lima estuve observando algunos de estos animales durante cerca de media hora, sin apartar de ellos los ojos un solo minuto; volaban en círculo, describiendo amplias curvas, subiendo y bajando, sin dar un solo aletazo. Cuando volaban cerca de mi cabeza, observé con atención en posición oblicua, la silueta de las grandes plumas separadas con que terminaban sus alas; si hubiera habido el menor movimiento vibratorio, estas plumas separadas hubiesen aparecido confundidas unas con otras. Por el contrario, se destacaban distintamente en el azul del cielo.

without once taking off my eyes: they moved in large curves, sweeping in circles, descending and ascending without giving a single flap. As they glided close over my head, I intently watched from an oblique position, the outlines of the separate and great terminal feathers of each wing; and these separate feathers, if there had been the least vibratory movement, would have appeared as if blended together; but they were seen distinct against the blue sky. The head and neck were moved frequently, and apparently with force; and the extended wings seemed to form the fulcrum on which the movements of the neck, body, and tail acted. If the bird wished to descend, the wings were for a moment collapsed; and when again expanded with an altered inclination, the momentum gained by the rapid descent seemed to urge the bird upwards with the even and steady movement of a paper kite. In the case of any bird soaring, its motion must be sufficiently rapid so that the action of the inclined surface of its body on the atmosphere may counterbalance its gravity. The force to keep up the momentum of a body moving in a horizontal plane in the air (in which there is so little friction) cannot be great, and this force is all that is wanted. The movement of the neck and body of the condor, we must suppose, is sufficient for this. However this may be, it is truly wonderful and beautiful to see so great a bird, hour after hour, without any apparent exertion, wheeling and gliding over mountain and river.

APRIL 29th
From some high land we hailed with joy the white summits of the Cordillera, as they were seen

Movían la cabeza y el cuello muy a menudo y en apariencia con gran fuerza. Las alas extendidas formaban por lo visto la palanca sobre la que actuaban los movimientos del cuello, el cuerpo y la cola. Si el ave deseaba descender, plegaba las alas un instante; y cuando las extendía de nuevo en una inclinación modificada, el impulso adquirido con su rápido descenso parecía darle fuerzas para remontarse con los mismos movimientos seguros y regulares de una cometa. En los casos en que el ave vuela describiendo círculos, sus movimientos deben ser lo bastante rápidos para que la acción de la superficie inclinada de su cuerpo en la atmósfera pueda compensar la gravedad. La fuerza necesaria para mantener el movimiento de su cuerpo, que se agita en un plano horizontal en el aire (donde hay tan poca fricción), no puede ser muy grande, y ésta es toda la fuerza que se precisa. Debemos suponer que los movimientos del cuello y del cuerpo del cóndor son suficientes para ello. Sea como fuere, es en verdad maravilloso y admirable ver un ave tan enorme, volando sobre montañas y ríos, hora tras hora, sin ningún esfuerzo aparente.

29 DE ABRIL

Saludamos con alegría, desde lo alto de una colina, los blancos picos de la cordillera, que de vez en cuando emergían de su blanca cortina de nubes. Durante los días siguientes, continuamos avanzando con lentitud, porque el curso del río se nos presentaba tortuoso y lleno de grandes fragmentos de diversas rocas antiguas de pizarra y de granito. La llanura que bordeaba el valle había alcanzado allí una altura de casi 1.100 pies sobre el río, y su carácter

occasionally peeping through their dusky envelope of clouds. During the few succeeding days we continued to get on slowly, for we found the river-course very tortuous, and strewed with immense fragments of various ancient slaty rocks, and of granite. The plain bordering the valley had here attained an elevation of about 1100 feet above the river, and its character was much altered. The well-rounded pebbles of porphyry were mingled with many immense angular fragments of basalt and of primary rocks. The first of these erratic boulders which I noticed, was sixty-seven miles distant from the nearest mountain; another which I measured was five yards square, and projected five feet above the gravel. Its edges were so angular, and its size so great, that I at first mistook it for a rock -in situ- and took out my compass to observe the direction of its cleavage. The plain here was not quite so level as that nearer the coast, but yet it betrayed no signs of any great violence. Under these circumstances it is, I believe, quite impossible to explain the transportal of these gigantic masses of rock so many miles from their parent-source, on any theory except by that of floating icebergs.

During the two last days we met with signs of horses, and with several small articles which had belonged to the Indians —such as parts of a mantle and a bunch of ostrich feathers— but they appeared to have been lying long on the ground. Between the place where the Indians had so lately crossed the river and this neighbourhood, though so many miles apart, the country appears to be quite unfrequented. At first, considering the abundance of the guanacos, I was surprised at this; but it is explained by the

había sufrido extraordinarias, modificaciones. Los guijarros de pórfido de formas redondeadas se hallaban mezclados con inmensos fragmentos angulares de basalto y roca primaria. El primero de estos peñascos erráticos que observé se encontraba a 67 millas de la montaña más próxima; otro medía cinco yardas cuadradas y sobresalía cinco pies por encima del suelo. Tenía los cantos tan angulares y sus proporciones eran tan extraordinarias que a primera vista lo confundí con una roca in situ y preparé mi brújula para comprobar la dirección de su hendidura. La llanura, en aquel punto, no era tan uniforme como en los lugares más próximos a la costa, pero aun así no había en ella signos de haber sufrido violentos cataclismos. En estas circunstancias, creo que es imposible explicar el transporte de esas masas gigantescas de roca a tantas millas de distancia de su origen, si no es basándose en la teoría de los icebergs flotantes.

Durante los dos últimos días, encontramos huellas de caballos y algunos artículos que habían pertenecido a los indios -tales como pedazos de manta y un puñado de plumas de avestruz-, pero, según parecía, estos objetos habían estado rodando por el suelo largo tiempo. Entre el punto por donde los indios habían cruzado recientemente el río y estos alrededores, aun cuando hay una gran distancia, la región no parecía muy frecuentada. A primera vista, teniendo en cuenta la abundancia de guanacos, me sorprendió esta circunstancia; pero tiene su explicación si se considera que debido a la naturaleza pedregosa de las llanuras es imposible, para un caballo sin herraduras, cruzarla sin grandes esfuerzos. Sin embargo, en dos puntos de esta misma región central, encontré pequeños

stony nature of the plains, which would soon disable an unshod horse from taking part in the chase. Nevertheless, in two places in this very central region, I found small heaps of stones, which I do not think could have been accidentally thrown together. They were placed on points, projecting over the edge of the highest lava cliff, and they resembled, but on a small scale, those near Port Desire.

MAY 4th

Captain Fitz Roy determined to take the boats no higher. The river had a winding course, and was very rapid; and the appearance of the country offered no temptation to proceed any further. Everywhere we met with the same productions, and the same dreary landscape. We were now one hundred and forty miles distant from the Atlantic, and about sixty from the nearest arm of the Pacific. The valley in this upper part expanded into a wide basin, bounded on the north and south by the basaltic platforms, and fronted by the long range of the snow-clad Cordillera. But we viewed these grand mountains with regret, for we were obliged to imagine their nature and productions, instead of standing, as we had hoped, on their summits. Besides the useless loss of time which an attempt to ascend the river any higher would have cost us, we had already been for some days on half allowance of bread. This, although really enough for reasonable men, was, after a hard day's march, rather scanty food: a light stomach and an easy digestion are good things to talk about, but very unpleasant in practice.

túmulos de piedras que no creo que estén amontonados por pura casualidad. Habían sido colocados en puntos que sobresalían por encima del borde del acantilado de lava más elevado y me recordaron, aunque en menor escala, los que vi cerca de Port Desire.

4 DE MAYO

El capitán Fitz Roy decidió que los botes no siguieran remontando el río. La corriente era tortuosa y muy rápida; y el aspecto del terreno no ofrecía atractivo alguno para proseguir nuestro avance. Veíamos por doquier los mismos productos y el mismo desolado panorama. Nos encontrábamos a 140 millas del Atlántico y a unas 60 del brazo más próximo del Pacífico. En esta parte superior el valle se extendía en forma de una gran cubeta limitada por el norte y el sur por plataformas basálticas y situada frente a la larga hilera de la cordillera cubierta de nieve. Contemplamos estas enormes montañas con tristeza, puesto que nos veíamos obligados sólo a imaginar su naturaleza y productos en lugar de escalar sus cimas, como era nuestro deseo. Además de la inútil pérdida de tiempo que hubiera representado cualquier intento de remontar el río hasta más arriba, hacía ya algunos días que únicamente teníamos la mitad de nuestra ración de pan. Las raciones, aun cuando en realidad bastaban para un grupo de hombres con una exigencia razonable, eran un alimento escaso después de una dura jornada de marcha; un estómago ligero y una digestión fácil son cosas buenas para hablar de ellas pero muy desagradables en la práctica.

MAY 5th

Before sunrise we commenced our descent. We shot down the stream with great rapidity, generally at the rate of ten knots an hour. In this one day we effected what had cost us five-and-a-half hard days' labour in ascending. On the 8th, we reached the Beagle after our twenty-one days' expedition. Every one, excepting myself, had cause to be dissatisfied; but to me the ascent afforded a most interesting section of the great tertiary formation of Patagonia.

On March 1st, 1833, and again on March 16th, 1834, the Beagle anchored in Berkeley Sound, in East Falkland Island. This archipelago is situated in nearly the same latitude with the mouth of the Strait of Magellan; it covers a space of one hundred and twenty by sixty geographical miles, and is a little more than half the size of Ireland. After the possession of these miserable islands had been contested by France, Spain, and England, they were left uninhabited. The government of Buenos Ayres then sold them to a private individual, but likewise used them, as old Spain had done before, for a penal settlement. England

5 DE MAYO

Emprendimos el descenso antes de salir el sol. Bajamos por el río a gran velocidad; por lo general a un promedio de diez nudos por hora. En un solo día recorrimos lo que nos había costado cinco días y medio de duro trabajo durante el ascenso. El día 8 alcanzamos el *Beagle*, después de 21 días de expedición. Todos los hombres, menos yo, tenían motivos suficientes para estar satisfechos; no obstante, el ascenso me había proporcionado un estudio de una sección interesantísima de las grandes formaciones terciarias de la Patagonia.

El 1° de marzo de 1833 y nuevamente el 16 de marzo de 1834 el *Beagle* echó anclas en el estrecho de Berkeley, en la isla Falkland oriental, que pertenece al archipiélago situado casi a la misma latitud que el Estrecho de Magallanes; ocupa un espacio de 120 por 60 millas geográficas (poco más de la mitad del tamaño de Irlanda). Después que Francia, España e Inglaterra disputaron la posesión de estas miserables islas, quedaron deshabitadas. El Gobierno de Buenos Aires las vendió luego a un particular, pero las utilizó como colonia penal, al igual que España había hecho con anterioridad. Inglaterra reclamó sus derechos y las ocupó. El inglés que quedó encargado de la bandera fue asesinado. Más tarde, un oficial inglés, sin ejército alguno, fue enviado allí y cuando nosotros llegamos tenía a su cargo una población compuesta casi en su totalidad por rebeldes y asesinos escapados.

El teatro es digno de las escenas que en él se desarrollan. Es una tierra ondulada, de aspecto desolado y mísero, cubierta por doquier de turbales y de una débil hierba todo ello de un monótono

claimed her right and seized them. The Englishman who was left in charge of the flag was consequently murdered. A British officer was next sent, unsupported by any power: and when we arrived, we found him in charge of a population, of which rather more than half were runaway rebels and murderers.

The theatre is worthy of the scenes acted on it. An undulating land, with a desolate and wretched aspect, is everywhere covered by a peaty soil and wiry grass, of one monotonous brown colour. Here and there a peak or ridge of grey quartz rock breaks through the smooth surface. Every one has heard of the climate of these regions; it may be compared to that which is experienced at the height of between one and two thousand feet, on the mountains of North Wales; having however less sunshine and less frost, but more wind and rain. [4]

MAY 16th

I will now describe a short excursion which I made round a part of this island. In the morning I started with six horses and two Gauchos: the latter were capital men for the purpose, and well accustomed to living on their own resources. The weather was very boisterous and cold, with heavy hailstorms. We got on, however, pretty well, but, except the geology, nothing could be less interesting than our day's ride. The country is uniformly the same undulating moorland; the surface being covered by light brown withered grass and a few very small shrubs, all springing out of an elastic peaty soil. In the valleys here and there might be seen a small flock of wild geese, and everywhere the ground was so soft that the snipe were able to feed. Besides

[4] *From accounts published since our voyage, and more especially from several interesting letters from Capt. Sulivan, R. N., employed on the survey, it appears that we took an exagerated view of the badness of the climate on these islands. But when I reflect on the almost universal covering of peat, and on the fact of wheat seldom ripening here, I can hardly believe that the climate in summer is so fine and dry as it has lately been represented.*

color pardusco. Acá y allá algún pico o cadena de rocas de cuarzo gris emerge de la lisa superficie. Es notorio el clima de estas regiones; puede compararse al que se encuentra a una altura de 1.000 o 2.000 pies en las montañas de Gales del Norte, pero hay menos días soleados, ocurren menos heladas, es más ventoso y llueve más a menudo. (4)

16 DE MAYO

Describiré a continuación una pequeña excursión que efectué alrededor de una parte de esta isla. Salí por la mañana con seis caballos y dos gauchos; estos últimos eran hombres excelentes para mis propósitos y estaban acostumbrados a salvar cualquier obstáculo con sólo sus propios medios. El tiempo era tempestuoso y frío, con fuertes granizadas de vez en cuando. A pesar de ello, avanzamos con bastante rapidez pero, a excepción de todo cuanto se refería a geología nada había menos interesante que nuestra jornada diaria. El terreno era siempre la misma llanura ondulada, la misma superficie cubierta de vegetación escasa y débil y de unos pocos matorrales muy pequeños, todo ello asentado sobre un suelo turboso y blando. En los valles, se veían en algunos puntos pequeñas bandadas de gansos salvajes, y el terreno era tan blando en todas partes que la agachadiza podía alimentarse con facilidad. Aparte de estos dos, son pocas las aves que viven allí. Tuvimos algunas dificultades para cruzar los picos rugosos y estériles de una cadena de montañas de casi 2.000 pies de altura, formada por rocas de cuarzo. Por la parte del sur llegamos a la zona más indicada para ganado cimarrón; sin embargo, no encontramos muchos ejemplares,

these two birds there were few others. There is one main range of hills, nearly two thousand feet in height, and composed of quartz rock, the rugged and barren crests of which gave us some trouble to cross. On the south side we came to the best country for wild cattle; we met, however, no great number, for they had been lately much harassed.

In the evening we came across a small herd. One of my companions, St. Jago by name, soon separated a fat cow; he threw the bolas, and it struck her legs, but failed in becoming entangled. Then dropping his hat to mark the spot where the balls were left, while at full gallop, he uncoiled his lazo, and after a most severe chase, again came up to the cow, and caught her round the horns. The other Gaucho had gone on ahead with the spare horses, so that St. Jago had some difficulty in killing the furious beast. He managed to get her on a level piece of ground, by taking advantage of her as often as she rushed at him; and when she would not move, my horse, from having been trained, would canter up, and with his chest give her a violent push. But when on level ground it does not appear an easy job for one man to kill a beast mad with terror. Nor would it be so, if the horse, when left to itself without its rider, did not soon learn, for its own safety, to keep the lazo tight; so that, if the cow or ox moves forward, the horse moves just as quickly forward; otherwise, it stands motionless leaning on one side. This horse, however, was a young one, and would not stand still, but gave in to the cow as she struggled. It was admirable to see with what dexterity St. Jago dodged behind the beast, till at last he contrived to give the fatal touch to the main tendon of the hind leg

(4) De acuerdo a relatos publicados después de nuestro viaje, y sobre todo algunas cartas muy interesantes recibidas del capitán Sulivan, RN, participante del relevamiento, parecería que exageramos la ruindad del clima. Pero cuando reflexiono sobre la ubicuidad de los turbales, y el hecho que el trigo rara vez llegar a madurar allí, me cuesta creer que el clima en verano sea tan bueno y seco como se lo está presentando últimamente.

puesto que últimamente habían sido objeto de repetidas cacerías.

Por la tarde encontramos un pequeño rebaño. Uno de mis compañeros, llamado Santiago, de inmediato escogió una vaca gorda, a la que tiró sus boleadoras. Estas le dieron en las patas pero como no consiguieron enroscarse, el animal se escapó. A galope tendido, Santiago tiró el sombrero al suelo para indicar el lugar donde habían quedado las boleadoras, desenroscó su lazo y, después de una persecución agotadora, consiguió enlazar de nuevo a la vaca, atrapándola por los cuernos. El otro gaucho había continuado la marcha conduciendo a los demás caballos, y por lo tanto Santiago tuvo cierta dificultad en matar a la furiosa bestia. Consiguió arrastrarla hasta un espacio llano, aprovechando las ocasiones en que el animal se lanzaba contra él; cuando la vaca no avanzaba, mi caballo, que estaba adiestrado para ello, se le acercaba y con el pecho le daba un violento empujón.

De cualquier manera, una vez en terreno llano, no parece tarea fácil para un hombre matar a un animal loco de terror. Y no lo sería si el caballo, al quedar libre, sin el jinete, no aprendiera pronto, por su propia seguridad, a sostener el lazo tirante; de forma que si la vaca o el buey se mueve hacia delante, el caballo avanza exactamente en la misma dirección; o bien permanece quieto, inclinándose hacia el lado opuesto a donde está el animal. Este caballo, no obstante, era muy joven y no se mantenía firme tirando del lazo, sino que iba cediendo a los embates de la vaca. Fue admirable ver la destreza con que Santiago logró situarse tras el animal, hasta que consiguió por fin darle el golpe fatal en el tendón

after which, without much difficulty, he drove his knife into the head of the spinal marrow, and the cow dropped as if struck by lightning. He cut off pieces of flesh with the skin to it, but without any bones, sufficient for our expedition. We then rode on to our sleeping-place, and had for supper "carne con cuero", or meat roasted with the skin on it. This is as superior to common beef as venison is to mutton. A large circular piece taken from the back is roasted on the embers with the hide downwards and in the form of a saucer, so that none of the gravy is lost. If any worthy alderman had supped with us that evening, "carne con cuero", without doubt, would soon have been celebrated in London.

During the night it rained, and the next day (17th) was very stormy, with much hail and snow.

Corral de piedra - *Stone corral*

principal de la pata trasera, después de lo cual, sin gran dificultad, clavó su cuchillo en la parte superior de la espina dorsal de la vaca, que se desplomó como fulminada por un rayo. Cortó entonces algunos pedazos de carne, con la piel pero sin huesos, en suficiente cantidad para nuestra expedición. Nos dirigimos luego hacia el punto que habíamos escogido para pernoctar, y cenamos "carne con cuero", o sea carne asada con la piel. Es tan superior al buey común como lo es la carne de venado con respecto a la de carnero. Sobre las brasas se asa un gran pedazo circular de la espalda, de forma que la piel quede expuesta directamente al fuego y haga las veces de sartén, con lo cual se consigue que no se pierda ni una gota del jugo. Si aquella noche hubiese cenado con nosotros algún digno concejal, sin duda la "carne con cuero" pronto se habría hecho famosa en Londres.

Llovió durante toda la noche, y el día siguiente, el 17, que fue muy tormentoso, cayó mucho granizo y nieve. Cabalgamos a través de la isla hasta el istmo de tierra que une el rincón del Toro (la gran península situada en el extremo sur occidental) al resto de la isla. Debido al gran número de vacas que han sido muertas, el número de toros es proporcionalmente mucho mayor. Estos animales andan errantes, por lo general solos o en grupos de dos o tres, y son muy salvajes. Nunca vi animales tan magníficos; por el tamaño y el grosor de sus cuellos y cabezas parecían los modelos de las esculturas griegas. El capitán Sulivan me comunica que, por término medio, la piel de un toro de tamaño mediano pesa 47 libras, mientras que en Montevideo una piel que alcance ese peso, con menos tiempo de

We rode across the island to the neck of land which joins the Rincon del Toro (the great peninsula at the S. W. extremity) to the rest of the island. From the great number of cows which have been killed, there is a large proportion of bulls. These wander about single, or two and three together, and are very savage. I never saw such magnificent beasts; they equalled in the size of their huge heads and necks the Grecian marble sculptures. Capt. Sulivan informs me that the hide of an average-sized bull weighs forty-seven pounds, whereas a hide of this weight, less thoroughly dried, is considered as a very heavy one at Monte Video. The young bulls generally run away, for a short distance; but the old ones do not stir a step, except to rush at man and horse; and many horses have been thus killed. An old bull crossed a boggy stream, and took his stand on the opposite side to us; we in vain tried to drive him away, and failing, were obliged to make a large circuit. The Gauchos in revenge determined to emasculate him and render him for the future harmless. It was very interesting to see how art completely mastered force. One lazo was thrown over his horns as he rushed at the horse, and another round his hind legs: in a minute the monster was stretched powerless on the ground. After the lazo has once been drawn tightly round the horns of a furious animal, it does not at first appear an easy thing to disengage it again without killing the beast: nor, I apprehend, would it be so if the man was by himself. By the aid, however, of a second person throwing his lazo so as to catch both hind legs, it is quickly managed: for the animal, as long as its hind legs are kept outstretched, is quite helpless, and the first man can with his hands

secado, se considera muy pesada. Los toros jóvenes es habitual que huyan en cuanto distinguen al hombre, pero los viejos no se mueven, excepto para atacar al jinete o al caballo, y son muchas las cabalgaduras que han perdido la vida por esta razón. Durante nuestro viaje un toro viejo cruzó un arroyo cenagoso y se quedó en la orilla opuesta, como esperándonos; en vano intentamos ahuyentarlo, y en vista de su inmovilidad tuvimos que dar un gran rodeo. Los gauchos, para vengarse, decidieron dejarlo inofensivo castrándolo. Fue muy interesante observar cómo el arte triunfa sobre la fuerza bruta. Arrojaron un lazo a sus cuernos en el momento en que intentó atacar al caballo, y luego otro alrededor de sus patas traseras: en un minuto el monstruo quedó indefenso en el suelo. Cuando se ha atado a un animal como éste por los cuernos, no es nada fácil deshacer el lazo sin antes matar a la res, sobre todo si tiene que hacerlo un hombre solo. Sin embargo, con la ayuda de una segunda persona que sujeta el lazo de modo que las patas traseras queden inmovilizadas, la operación no es nada difícil porque el animal, en tanto tiene las patas traseras sujetas, se queda sin defensas, y el otro hombre puede con tranquilidad desatar el lazo de los cuernos y montar en su caballo; pero en el momento en que el otro hombre afloja el lazo, el animal se levanta enseguida, se sacude, y se dispone a atacar, aunque en vano, a su enemigo.

Durante todo el viaje sólo vimos una tropilla de caballos salvajes. Estos animales, lo mismo que el ganado, fueron introducidos por los franceses en 1764, desde cuya fecha ambos han aumentado en forma extraordinaria. Es curioso el hecho de que los caballos nunca han abandonado el extremo oriental

loosen his lazo *from the horns, and then quietly mount his horse; but the moment the second man, by backing ever so little, relaxes the strain, the* lazo *slips off the legs of the struggling beast, which then rises free, shakes himself, and vainly rushes at his antagonist.*

During our whole ride we saw only one troop of wild horses. These animals, as well as the cattle, were introduced by the French in 1764, since which time both have greatly increased. It is a curious fact, that the horses have never left the eastern end of the island, although there is no natural boundary to prevent them from roaming, and that part of the island is not more tempting than the rest. The Gauchos whom I asked, though asserting this to be the case, were unable to account for it, except from the strong attachment which horses have to any locality to which they are accustomed. Considering that the island does not appear fully stocked, and that there are no beasts of prey, I was particularly curious to know what has checked their originally rapid increase. That in a limited island some check would sooner or later supervene, is inevitable; but why has the increase of the horse been checked sooner than that of the cattle? Capt. Sulivan has taken much pains for me in this inquiry. The Gauchos employed here attribute it chiefly to the stallions constantly roaming from place to place, and compelling the mares to accompany them, whether or not the young foals are able to follow. One Gaucho told Capt. Sulivan that he had watched a stallion for a whole hour, violently kicking and biting a mare till he forced her to leave her foal to its fate. Capt. Sulivan can so far corroborate this curious account, that he has

de la isla, aunque no hay ninguna barrera natural que les impida pasar a las otras partes de la isla que, además, ofrecen para estos animales exactamente los mismos atractivos que la zona oriental. Todos los gauchos a quienes interrogué acerca de esto coincidieron en afirmar que así era en efecto, pero que no conocían la causa de tal fenómeno, y que sólo podían atribuirlo a la costumbre de los caballos de aficionarse a los lugares en que han nacido y se han desarrollado. Teniendo en cuenta que la isla no parece muy poblada por ellos, y que no existen en ella animales de presa, sentí curiosidad por averiguar la causa del detenimiento sufrido en la expansión de esta especie animal, que en otros tiempos se desarrolló con tanta rapidez. Es inevitable que en una isla limitada, tarde o temprano se presente algún freno natural al desenvolvimiento de una especie determinada, pero ¿por qué el desarrollo de los caballos se ha detenido antes que el del ganado? El capitán Sulivan ha hecho todo lo posible para averiguar esta circunstancia. Los gauchos que habitan aquí atribuyen este hecho a que los padrillos andan siempre vagando, y obligan a las yeguas a seguirlos, a pesar de que los potrillos no tienen fuerzas suficientes para ello.

Un gaucho explicó al capitán Sulivan que había visto cómo un padrillo estuvo pateando y mordiendo a una yegua hasta obligarla a abandonar su cría y seguirlo. El capitán Sulivan por su parte encontró varias veces potrillos muertos, mientras que nunca encontró terneros abandonados. Además, también es mucho más frecuente encontrar caballos adultos muertos por alguna enfermedad o accidente, que reses. Debido a la

several times found young foals dead, whereas he has never found a dead calf. Moreover, the dead bodies of full-grown horses are more frequently found, as if more subject to disease or accidents, than those of the cattle. From the softness of the ground their hoofs often grow irregularly to a great length, and this causes lameness. The predominant colours are roan and iron-grey. All the horses bred here, both tame and wild, are rather small-sized, though generally in good condition; and they have lost so much strength, that they are unfit to be used in taking wild cattle with the lazo: in consequence, it is necessary to go to the great expense of importing fresh horses from the Plata. At some future period the southern hemisphere probably will have its breed of Falkland ponies, as the northern has its Shetland breed.

The cattle, instead of having degenerated like the horse, seem, as before remarked, to have increased in size; and they are much more numerous than the horses Capt. Sulivan informs me that they vary much less in the general form of their bodies and in the shape of their horns than English cattle. In colour they differ much; and it is a remarkable circumstance, that in different parts of this one small island, different colours predominate. Round Mount Usborne, at a height of from 1000 to 1500 feet above the sea, about half of some of the herds are mouse or lead-coloured, a tint which is not common in other parts of the island. Near Port Pleasant dark brown prevails, whereas south of Choiseul Sound (which almost divides the island into two parts), white beasts with black heads and feet are the most common: in all parts black, and some spotted

blandura del suelo los cascos de los caballos suelen desarrollarse en exceso y en forma irregular, por lo que se encuentran muchos animales cojos. Los pelajes predominantes son el ruano y el tordillo negro. Todos los caballos nacidos en la isla -lo mismo los salvajes que los domésticos- son de un tamaño inferior al corriente, aunque por lo general gozan de buena salud; han perdido también parte de su fuerza, de modo que ya no puede usárselos para cazar reses con el lazo, para lo cual es preciso importar caballos del Plata. Es probable que en un futuro próximo el hemisferio meridional tendrá su propia raza de "ponies Falkland", así como el septentrional posee la raza Shetland. El ganado, en lugar de degenerar como los caballos, al parecer ha aumentado de tamaño, como ya he observado antes, y las reses son mucho más numerosas que los caballos. El capitán Sulivan me comunica que entre las reses de la isla hay mucha menos variedad en la forma general de los cuerpos y los cuernos que entre el ganado inglés. En cambio, la variedad en la coloración de la piel es extraordinaria, y resulta curioso observar que en distintas partes de esta pequeña isla, predominan colores diferentes. Cerca del monte Osborne, a una altura de 1.000 a 1.500 pies sobre el nivel del mar, casi la mitad de los rebaños tienen el pelo de color gris ratón o plomo, cuyo tinte es muy raro en otros lugares de la isla. Cerca de Port Pleasant prevalece el pardo oscuro, mientras que al sur del Estrecho de Choiseul (que casi divide la isla en dos partes) las reses blancas, con cabeza y pies negros, son las más comunes. Animales negros y algunos de pelaje moteado se encuentran en todas y cada una de las partes mencionadas. El capitán Sulivan observó que

animals may be observed. Capt. Sulivan remarks, that the difference in the prevailing colours was so obvious, that in looking for the herds near Port Pleasant, they appeared from a long distance like black spots, whilst south of Choiseul Sound they appeared like white spots on the hill-sides. Capt. Sulivan thinks that the herds do not mingle; and it is a singular fact, that the mouse-coloured cattle, though living on the high land, calve about a month earlier in the season than the other coloured beasts on the lower land. It is interesting thus to find the once domesticated cattle breaking into three colours, of which some one colour would in all probability ultimately prevail over the others, if the herds were left undisturbed for the next several centuries.

The rabbit is another animal which has been introduced, and has succeeded very well; so that they abound over large parts of the island. Yet, like the horses, they are confined within certain limits; for they have not crossed the central chain of hills, nor would they have extended even so far as its base, if, as the Gauchos informed me, small colonies had not been carried there. I should not have supposed that these animals, natives of northern Africa, could have existed in a climate so humid as this, and which enjoys so little sunshine that even wheat ripens only occasionally. It is asserted that in Sweden, which any one would have thought a more favourable climate, the rabbit cannot live out of doors. The first few pairs, moreover, had here to contend against pre-existing enemies, in the fox and some large hawks. The French naturalists have considered the black variety a distinct species, and called it Lepus magellanicus. *[5] They imagined that Magellan, when talking of an animal under the*

[5] *Lesson's Zoology of the Voyage of the Coquille, tom. i. p. 168. All the early voyagers, and especially Bougainville, distinctly state that the wolf-like fox was the only native animal on the island. The distinction of the rabbit as a species, is taken from peculiarities in the fur, from the shape of the head, and from the shortness of the ears. I may here observe that the difference between the Irish and English hare rests upon nearly similar characters, only more strongly marked*

la diferencia en la coloración predominante era tan obvia que mirando a larga distancia los rebaños que pacían cerca de Port Pleasant, parecían manchas negras, mientras que los del Estrecho de Choiseul se veían como manchas blancas en las laderas de las colinas. El capitán Sulivan cree que los rebaños no se mezclan, y se ha comprobado que las reses de color gris, aunque viven en las tierras altas, paren sus crías un mes antes que las otras reses de las tierras bajas. Es interesante comprobar que animales que en otros tiempos fueron domésticos han adoptado tres coloraciones distintas, de las cuales tal vez una dominará a las otras si se deja a estos rebaños en paz por espacio de algunos siglos.

El conejo, otro animal introducido, se ha desarrollado en forma espléndida, de modo que abunda en muchas regiones de la isla. Sin embargo, como los caballos, los conejos están confinados dentro de ciertos límites, porque no han cruzado la cadena montañosa central, y ni se hubieran acercado a su base, según me dijeron los gauchos, de no ser porque alguien se dedicó a trasladar allí varios grupos de ellos. Nunca hubiese podido sospechar que estos animales, procedentes del Africa del Norte, pudieran adaptarse a un clima tan húmedo como éste y en el que el sol apenas brilla de vez en cuando. Se afirma que en Suecia, cuyo clima cualquiera creería más favorable, el conejo no puede vivir a la intemperie. Por otra parte, las primeras parejas que llegaron a la isla tuvieron que luchar contra enemigos naturales nativos, tales como el zorro y los halcones. Los naturalistas franceses han considerado la variedad negra como una especie distinta y la designan con el nombre de

name of "conejos" in the Strait of Magellan, referred to this species; but he was alluding to a small cavy, which to this day is thus called by the Spaniards. The Gauchos laughed at the idea of the black kind being different from the grey, and they said that at all events it had not extended its range any further than the grey kind; that the two were never found separate; and that they readily bred together, and produced piebald offspring. Of the latter I now possess a specimen, and it is marked about the head differently from the French specific description. This circumstance shows how cautious naturalists should be in making species; for even Cuvier, on looking at the skull of one of these rabbits, thought it was probably distinct!

The only quadruped native to the island [6]; is a large wolf- like fox (Canis antarcticus), which is common to both East and West Falkland. I have no doubt it is a peculiar species, and confined to this archipelago; because many sealers, Gauchos, and Indians, who have visited these islands, all maintain that no such animal is found in any part of South America.

Molina, from a similarity in habits, thought that this was the same with his "culpeu"; [7] but I have seen both, and they are quite distinct. These wolves are well known from Byron's account of their tameness and curiosity, which the sailors, who ran into the water to avoid them, mistook for fierceness. To this day their manners remain the same. They have been observed to enter a tent, and actually pull some meat from beneath the head of a sleeping seaman. The Gauchos also have frequently in the evening killed them, by holding out a piece of meat in one hand, and in the other a knife ready to stick them. As far as I am aware, there is no other instance in any part of the

[6] I have reason, however, to suspect that there is a field- mouse. The common European rat and mouse have roamed far from the habitations of the settlers. The common hog has also run wild on one islet; all are of a black colour: the boars are very fierce, and have great trunks.
[7] The "culpeu" is the Canis magellanicus brought home by Captain King from the Strait of Magellan. It is common in Chile.

Lepus magellanicus (5). Supusieron que Magallanes, cuando hablaba de un animal que encontró en el Estrecho de Magallanes y al que designaba con el nombre de conejo, se refería a esta especie; pero en realidad aludía a un pequeño cávido, al que aún hoy los españoles designan con este nombre. Los gauchos se burlaron de la idea de que la especie negra fuese distinta de la gris; además me dijeron que la extensión de la primera de estas clases no es mayor que la de la segunda, que nunca se las encontraba separadas y que a menudo se emparejaban juntas, lo que producía ejemplares abigarrados. Poseo uno de estos ejemplares, que tiene en la cabeza manchas muy diferentes que las descritas por los especialistas franceses. Estos hechos demuestran cuán cauteloso debe ser el naturalista cuando se trata de designar especies, porque hasta Cuvier, examinando el cráneo de uno de estos conejos, ha dicho que era probable que se tratara de una especie distinta.

El único cuadrúpedo nativo de la isla (6) es un enorme zorro, de aspecto lobuno (*Canis antarcticus*) que lo mismo se encuentra en la Falkland oriental que en la Falkland occidental. No me cabe duda de que se trata de una especie peculiar confinada a este archipiélago, porque muchos cazadores de focas, gauchos e indios que han visitado esta islas aseguran que este animal no se encuentra en ninguna otra parte de América del Sur. Molina, teniendo en cuenta la similitud de costumbres, creyó que este zorro coincidía con su "culpeu", (7) pero yo he visto ejemplares de ambos animales y puedo asegurar que son totalmente distintos. Estos zorros son muy conocidos por su docilidad y

world, of so small a mass of broken land, distant from a continent, possessing so large an aboriginal quadruped peculiar to itself. Their numbers have rapidly decreased; they are already banished from that half of the island which lies to the eastward of the neck of land between St. Salvador Bay and Berkeley Sound. Within a very few years after these islands shall have become regularly settled, in all probability this fox will be classed with the dodo, as an animal which has perished from the face of the earth.

At night (17th) we slept on the neck of land at the head of Choiseul Sound, which forms the southwest peninsula. The valley was pretty well sheltered from the cold wind; but there was very little brushwood for fuel. The Gauchos, however, soon found what, to my great surprise, made nearly as hot a fire as coals; this was the skeleton of a bullock lately killed, from which the flesh had been picked by the carrion-hawks. They told me that in winter they often killed a beast, cleaned the flesh from the bones with their knives, and then with these same bones roasted the meat for their suppers.

MAY 18th

It rained during nearly the whole day. At night we managed, however, with our saddle-cloths to keep ourselves pretty well dry and warm; but the ground on which we slept was on each occasion nearly in the state of a bog, and there was not a dry spot to sit down on after our day's ride. I have in another part stated how singular it is that there should be absolutely no trees on these islands, although Tierra del Fuego is covered by one large forest. The largest bush in the island (belonging to

(5) *Lesson's Zoology of the Voyage of the Coquille*, tom. i, p. 168. Todos los primeros viajeros, y especialmente Bougainville, manifiestan que el zorro con aspecto de lobo fue el único animal nativo de la isla. La designación del conejo como especie se basa en peculiaridades de la piel, la conformación de la cabeza, y las orejas cortas. Aquí agrego que la diferencia entre las liebres de Irlanda e Inglaterra se basa en características similares, aunque más marcadas.

curiosidad que los marineros confundieron con fiereza hasta el punto de que se arrojaron al agua en su deseo de escapar de las "temibles fieras". Así nos lo cuenta Byron en su descripción de la isla, y hoy estos zorros conservan tales hábitos en su totalidad. Llegan al extremo de penetrar en una tienda de campaña y sustraer un pedazo de carne sin que se den cuenta los que duermen en ella. Los gauchos han conseguido más de una vez matar a un zorro por el siguiente procedimiento: en plena noche, toman con la mano izquierda un pedazo de carne y esperan a que el animal acuda, en cuyo momento le clavan con tranquilidad un cuchillo que sostienen en la mano derecha. Por lo que sé, no existe otro caso en ninguna otra parte del mundo de una región tan pequeña y tan alejada de un continente que posea un cuadrúpedo peculiar y aborígen de tan gran tamaño como este zorro. Su número ha decrecido con rapidez, y casi ni se las encuentra ya en la mitad de la isla que se extiende al este del istmo que une la Bahía de San Salvador con el Estrecho de Berkeley. Con toda probabilidad, al cabo de unos cuantos años de colonización este zorro deberá clasificarse junto con el dodo, un animal que ha desaparecido de la faz de la Tierra.

El día 17 por la noche pernoctamos en el istmo de la desembocadura del Estrecho de Choiseul, que forma la península sur occidental. El valle estaba al abrigo del viento frío, pero había muy poca leña con que encender fuego. Sin embargo, los gauchos encontraron una cosa que, con gran sorpresa mía, casi produce tantas calorías como el carbón: el esqueleto de un buey, muerto de poco tiempo, cuya carne había sido devorada por los buitres. Me

the family of Compositae) is scarcely so tall as our gorse. The best fuel is afforded by a green little bush about the size of common heath, which has the useful property of burning while fresh and green. It was very surprising to see the Gauchos, in the midst of rain and everything soaking wet, with nothing more than a tinder-box and a piece of rag, immediately make a fire. They sought beneath the tufts of grass and bushes for a few dry twigs, and these they rubbed into fibres; then surrounding them with coarser twigs, something like a bird's nest, they put the rag with its spark of fire in the middle and covered it up. The nest being then held up to the wind, by degrees it smoked more and more, and at last burst out in flames. I do not think any other method would have had a chance of succeeding with such damp materials.

MAY 19th

Each morning, from not having ridden for some time previously, I was very stiff. I was surprised to hear the Gauchos, who have from infancy almost lived on horseback, say that, under similar circumstances, they always suffer. St. Jago told me, that having been confined for three months by illness, he went out hunting wild cattle, and in consequence, for the next two days, his thighs were so stiff that he was obliged to lie in bed. This shows that the Gauchos, although they do not appear to do so, yet really must exert much muscular effort in riding. The hunting wild cattle, in a country so difficult to pass as this is on account of the swampy ground, must be very hard work. The Gauchos say they often pass at full speed over ground which would be impassable at a

(6) Sin embargo, tengo motivo para sospechar que existe un ratón de campo. La rata común europea y el ratón han vagado lejos de las casas de los colonos. En un islote el cerdo común también ha pasado al estado salvaje; todos estos chanchos son negros y los machos, muy feroces, tienen grandes colmillos.
(7) El "culpeu" es el *Canis magellanicus* del estrecho de Magallanes que el capitán King llevó a Inglaterra. Es común en Chile.

dijeron que en invierno a menudo mataban un animal, separaban la carne de los huesos con sus cuchillos; luego, utilizando los mismos huesos como combustible, asaban la carne y se la comían.

18 DE MAYO

Llovió durante casi todo el día. Así y todo, a la noche nos las arreglamos con nuestras mantas para conservarnos a seco, pero el suelo en que dormimos estaba hecho un barrial y apenas pudimos encontrar un lugar seco donde pernoctar después de nuestro día de marcha. En otra parte ya he mencionado qué extraño resulta que no se encuentre un solo árbol en estas islas, a pesar de que Tierra del Fuego está toda cubierta por una espesa selva. El matorral más alto de la isla (que pertenece a la familia de las *Compositae*) apenas es más alto que nuestra retama. El mejor combustible lo proporciona un pequeño arbusto verde, del tamaño del brezo, que tiene la propiedad de arder aunque se lo acabe de arrancar del suelo. Es admirable ver cómo los gauchos consiguen encender fuego en medio de la lluvia y la humedad, sin más que lumbre y un pedazo de trapo. Buscan algunas ramitas secas bajo las matas de hierba y las reducen a briznas; luego las rodean de ramitas un poco más gruesas, formando algo parecido al nido de un pájaro en medio del cual colocan el trozo de trapo con su chispa prendida, y lo cubren todo. Poco después exponen el nido al viento, y lentamente va produciendo humo hasta que al fin brotan las llamas. En mi opinión cualquier otro método hubiese fracasado, contando con materiales tan húmedos como los que usaban los gauchos.

slower pace; in the same manner as a man is able to skate over thin ice. When hunting, the party endeavours to get as close as possible to the herd with. out being discovered. Each man carries four or five pair of the bolas; these he throws one after the other at as many cattle, which, when once entangled, are left for some days till they become a little exhausted by hunger and struggling. They are then let free and driven towards a small herd of tame animals, which have been brought to the spot on purpose. From their previous treatment, being too much terrified to leave the herd, they are easily driven, if their strength last out, to the settlement.

The weather continued so very bad that we determined to make a push, and try to reach the vessel before night. From the quantity of rain which had fallen, the surface of the whole country was swampy. I suppose my horse fell at least a dozen times, and sometimes the whole six horses were floundering in the mud together. All the little streams are bordered by soft peat, which makes it very difficult for the horses to leap them without falling. To complete our discomforts we were obliged to cross the head of a creek of the sea, in which the water was as high as our horses' backs; and the little waves, owing to the violence of the wind, broke over us, and made us very wet and cold. Even the iron-framed Gauchos professed themselves glad when they reached the settlement, after our little excursion.

The geological structure of these islands is in most respects simple. The lower country consists of clay-slate and sandstone, containing fossils, very closely related to, but not identical with, those found in the Silurian formations of Europe; the hills are

19 DE MAYO

Por las mañanas me sentía muy fatigado debido a mi falta de entrenamiento en montar a caballo. Me sorprendió saber que los gauchos, que casi viven arriba de los caballos desde su infancia, acusan también la falta de entrenamiento cuando por alguna circunstancia, deben pasar algún tiempo sin montar. Santiago me contó que en cierta ocasión, estuvo enfermo durante tres meses; cuando se repuso fue a cazar reses salvajes. Luego debió permanecer dos días enteros en cama. Esto demuestra que los gauchos, aunque no lo parezca, realizan un gran esfuerzo muscular cuando cabalgan. Cazar reses salvajes en un lugar como éste, con un suelo tan pantanoso, debe significar un ejercicio muy fatigoso. Los gauchos afirman que, a menudo, pasan a galope tendido por un suelo por donde sería imposible cabalgar con más lentitud; de la misma manera que se puede patinar sobre hielo quebradizo siempre que se haga a gran velocidad. Cuando van a cazar, los miembros de la partida procuran acercarse todo lo posible al rebaño sin ser descubiertos. Cada uno de los hombres lleva cuatro o cinco boleadoras, que arroja una tras otra a las reses. Los animales apresados se dejan en el suelo durante algunos días, hasta que pierden las fuerzas a causa del hambre. Luego son soltados y conducidos a un pequeño rebaño de animales domesticados que los cazadores llevan al lugar con este propósito. Con este tratamiento previo, los animales tienen terror de perder contacto con el rebaño y es fácil arrearlos hasta el establecimiento, si les quedan fuerzas para caminar.

formed of white granular quartz rock. The strata of the latter are frequently arched with perfect symmetry, and the appearance of some of the masses is in consequence most singular. Pernety [8] has devoted several pages to the description of a Hill of Ruins, the successive strata of which he has justly compared to the seats of an amphitheatre. The quartz rock must have been quite pasty when it underwent such remarkable flexures without being shattered into fragments. As the quartz insensibly passes into the sandstone, it seems probable that the former owes its origin to the sandstone having been heated to such a degree that it became viscid, and upon cooling crystallized. While in the soft state it must have been pushed up through the overlying beds.

In many parts of the island the bottoms of the valleys are covered in an extraordinary manner by myriads of great loose angular fragments of the quartz rock, forming "streams of stones". These have been mentioned with surprise by every voyager since the time of Pernety. The blocks are not water-worn, their angles being only a little blunted; they vary in size from one or two feet in diameter to ten, or even more than twenty times as much. They are not thrown together into irregular piles, but are spread out into level sheets or great streams. It is not possible to ascertain their thickness, but the water of small streamlets can be heard trickling through the stones many feet below the surface. The actual depth is probably great, because the crevices between the lower fragments must long ago have been filled up with sand. The width of these sheets of stones varies from a few hundred feet to a mile; but the peaty soil

[8] Pernety, Voyage aux Isles Malouines, p. 526.

El mal tiempo continuaba sin interrupción, en vista de lo cual decidimos prolongar la jornada con el propósito de llegar al barco antes del anochecer. Debido a la gran cantidad de lluvia que había caído, la superficie del suelo estaba sumamente fangosa. Mi caballo cayó al menos una docena de veces, y en algunas ocasiones los seis caballos caían al mismo tiempo. Todas las pequeñas corrientes están bordeadas de turba blanda, sobre la que resulta difícil cabalgar sin resbalar. Para completar nuestras desventuras, tuvimos que cruzar la desembocadura de un brazo de mar en el cual el agua llegaba a los lomos de nuestros caballos; las pequeñas olas que originaba la violencia del viento, nos dejaron empapados. Hasta los imperturbables gauchos se confesaron encantados cuando llegamos al establecimiento, después de nuestra pequeña excursión.

La estructura geológica de estas islas es muy sencilla en la mayoría de los aspectos. Las tierras bajas están formadas por pizarra arcillosa y arenisca que contienen fósiles muy parecidos pero no idénticos a los que se encuentran en las formaciones silúricas de Europa; las colinas están formadas de roca de cuarzo blanco y granular. Los estratos de estas últimas con frecuencia aparecen arqueados con perfecta simetría, y por consiguiente, el aspecto de algunas de las mencionadas formaciones es de lo más curioso. Pernety (8) ha dedicado varias páginas a la descripción de la colina de las Ruinas, cuyos sucesivos estratos ha comparado acertadamente con los asientos de un anfiteatro. La roca de cuarzo debía de ser muy blanda cuando sufrió esta curvatura sin romperse. Como sea que el cuarzo se convierte en

daily encroaches on the borders, and even forms islets wherever a few fragments happen to lie close together. In a valley south of Berkeley Sound, which some of our party called the "great valley of fragments", it was necessary to cross an uninterrupted band half a mile wide, by jumping from one pointed stone to another. So large were the fragments, that being overtaken by a shower of rain, I readily found shelter beneath one of them.

Their little inclination is the most remarkable circumstance in these "streams of stones". On the hill-sides I have seen them sloping at an angle of ten degrees with the horizon; but in some of the level, broad-bottomed valleys, the inclination is only just sufficient to be clearly perceived. On so rugged a surface there was no means of measuring the angle, but to give a common illustration, I may say that the slope would not have checked the speed of an English mail-coach. In some places, a continuous stream of these fragments followed up the course of a valley, and even extended to the very crest of the hill. On these crests huge masses, exceeding in dimensions any small building, seemed to stand arrested in their headlong course: there, also, the curved strata of the archways lay piled on each other, like the ruins of some vast and ancient cathedral. In endeavouring to describe these scenes of violence one is tempted to pass from one simile to another. We may imagine that streams of white lava had flowed from many parts of the mountains into the lower country, and that when solidified they had been rent by some enormous convulsion into myriads of fragments. The expression "streams of stones",

(8) Pernety, *Voyage aux Isles Malouines*, p. 526.

piedra de manera insensible, parece probable que deba su origen precisamente a la piedra, reblandecida por el calor, hasta llegar a un grado de fusión determinado, para cristalizar luego al enfriarse con lentitud.

En muchas partes de la isla, el fondo de los valles aparece cubierto por millones y millones de grandes fragmentos angulares de roca de cuarzo, formando "ríos de piedras". Todos los viajeros, ya desde los tiempos de Pernety, han mencionado este hecho con sorpresa. Los bloques de piedra presentan los ángulos muy poco gastados, por lo que no se

which immediately occurred to every one, conveys the same idea. These scenes are on the spot rendered more striking by the contrast of the low rounded forms of the neighbouring hills.

I was interested by finding on the highest peak of one range (about 700 feet above the sea) a great arched fragment, lying on its convex side, or back downwards. Must we believe that it was fairly pitched up in the air, and thus turned? Or, with more probability, that there existed formerly a part of the same range more elevated than the point on which

puede suponer que hayan sido arrastrados allí por las aguas; su tamaño varía de fragmentos de uno a dos pies de diámetro a rocas de 10 o 20 veces ese tamaño. No aparecen en montones irregulares; están extendidos formando una llanura o, mejor dicho, como una corriente de piedras. No es posible saber el grosor de estas capas rocosas, pero se puede oír el rumor de las aguas de pequeñas corrientes que se deslizan por debajo de las piedras a muchos pies de profundidad. El grosor ha de ser grande, porque las aberturas entre los fragmentos inferiores deben haberse llenado de arena hace mucho. La anchura de los "ríos de piedras" oscila entre unos centenares de pies hasta una milla; pero el suelo turboso cada día gana terreno en las orillas y hasta forma islotes dondequiera que se encuentran juntos unos pocos fragmentos. En un valle situado al sur del Estrecho de Berkeley, al que algunos de nuestros hombres designaron con el nombre de "El Gran Valle de los Peñascos", tuvimos que cruzar una extensión de media milla saltando desde una piedra a otra. Los fragmentos eran tan grandes que cuando cayó un inopinado chubasco, pude guarecerme de la lluvia debajo de uno de ellos.

Uno de los detalles más curiosos de estos "ríos de piedras" es su pequeña inclinación. En las laderas de las colinas suelen formar un ángulo de 10 ° con el horizonte, pero en alguno de los valles la inclinación es sólo lo suficiente para que se la pueda percibir. En una superficie tan irregular, es imposible medir el ángulo de inclinación pero para dar un ejemplo ilustrativo al alcance de todos, puedo decir que la pendiente no era lo suficientemente pronunciada como para dificultar la marcha

this monument of a great convulsion of nature now lies. As the fragments in the valleys are neither rounded nor the crevices filled up with sand, we must infer that the period of violence was subsequent to the land having been raised above the waters of the sea. In a transverse section within these valleys, the bottom is nearly level, or rises but very little towards either side. Hence the fragments appear to have travelled from the head of the valley; but in reality it seems more probable that they have been hurled down from the nearest slopes; and that since, by a vibratory movement of overwhelming force, [9] the fragments have been levelled into one continuous sheet. If during the earthquake [10] which in 1835 overthrew Concepcion, in Chile, it was thought wonderful that small bodies should have been pitched a few inches from the ground, what must we say to a movement which has caused fragments many tons in weight, to move onwards like so much sand on a vibrating board, and find their level? I have seen, in the Cordillera of the Andes, the evident marks where stupendous mountains have been broken into pieces like so much thin crust, and the strata thrown on their vertical edges; but never did any scene, like these "streams of stones", so forcibly convey to my mind the idea of a convulsion, of which in historical records we might in vain seek for any counterpart: yet the progress of knowledge will probably some day give a simple explanation of this phenomenon, as it already has of the so long-thought inexplicable transportal of the erratic boulders, which are strewed over the plains of Europe.

I have little to remark on the zoology of these islands. I have before described the carrion-vulture

[9] *"Nous n'avons pas ete moins saisis d'etonnement a la vue de l'innombrable quantite de pierres de touts grandeurs, bouleversees les unes sur les autres, et cependent rangees, comme si elles avoient ete amoncelees negligemment pour remplir des ravins. On ne se lassoit pas d'admirer les effets prodigieux de la nature." — Pernety, p. 526.*
[10] *An inhabitant of Mendoza, and hence well capable of judging, assured me that, during the several years he had resided on these islands, he had never felt the slightest shock of an earthquake.*

de un coche de correos inglés. En algunos lugares, la corriente de piedras seguía toda la línea del valle y llegaba hasta la misma cumbre de la colina. En las cimas se encuentran enormes masas que parecen haber sido detenidas en su carrera; asimismo los estratos en forma de arco, amontonados uno sobre otro, parecen las ruinas de una vasta y antigua catedral. Cuando se intenta describir tales escenas es fácil caer en la tentación de utilizar un exceso de símiles. Para explicar el fenómeno de estas corrientes de piedras, podemos imaginar que unas corrientes de lava blanca brotaron de diversas partes de las montañas y descendieron hasta las tierras bajas; más tarde, cuando ya estaban solidificadas, alguna sacudida del subsuelo debió dividirlas en miríadas de fragmentos. La expresión "ríos de piedras", que es la primera que se le ocurre a quien contempla tal espectáculo, parece coincidir con esta teoría. El espectáculo resulta todavía más impresionante por el contraste que forman las colinas vecinas, de poca altura y de formas suaves y redondeadas.

Mi interés aumentó cuando encontré en el pico más alto de una cordillera (a unos 700 pies sobre el nivel del mar), un enorme fragmento en forma de arco, que yacía sobre su lado convexo o sea sobre lo que podríamos llamar su espalda. ¿Debemos creer que este enorme fragmento fue arrojado al aire y al caer quedó en esa posición? O, con más probabilidad, ¿cabe suponer que en tiempos remotos existió una parte de la misma cordillera, más elevada que el lugar donde descansa hoy este recuerdo de una gran convulsión de la naturaleza? Por el hecho de que los fragmentos que se hallan en los valles no aparecen redondeados por el agua, así

of Polyborus. *There are some other hawks, owls, and a few small land-birds. The water-fowl are particularly numerous, and they must formerly, from the accounts of the old navigators, have been much more so. One day I observed a cormorant playing with a fish which it had caught. Eight times successively the bird let its prey go, then dived after it, and although in deep water, brought it each time to the surface. In the Zoological Gardens I have seen the otter treat a fish in the same manner, much as a cat does a mouse: I do not know of any other instance where dame Nature appears so wilfully cruel. Another day, having placed myself between a penguin* (Aptenodytes demersa) *and the water, I was much amused by watching its habits. It was a brave bird; and till reaching the sea, it regularly fought and drove me backwards. Nothing less than heavy blows would have stopped him; every inch he gained he firmly kept, standing close before me erect and determined. When thus opposed he continually rolled his head from side to side, in a very odd manner, as if the power of distinct vision lay only in the anterior and basal part of each eye. This bird is commonly called the jackass penguin, from its habit, while on shore, of throwing its head backwards, and making a loud strange noise, very like the braying of an ass; but while at sea, and undisturbed, its note is very deep and solemn, and is often heard in the nighttime. In diving, its little wings are used as fins; but on the land, as front legs. When crawling, it may be said on four legs, through the tussocks or on the side of a grassy cliff, it moves so very quickly that it might easily be mistaken for a quadruped. When at sea and fishing, it comes to the surface for the purpose of*

como teniendo en cuenta que las grietas no han sido llenadas por la arena, debemos deducir que el período de violencia fue posterior al levantamiento de la tierra por encima del nivel de las aguas del mar. En una sección transversal de estos valles, el fondo aparece casi llano de manera uniforme, o al menos se eleva muy poco a cada lado; de ello parece deducirse que las rocas proceden de la cabeza del valle. Pero en realidad parece más probable que se hayan desprendido de las pendientes más próximas y que, con posterioridad a su desprendimiento, el movimiento vibratorio de una fuerza todopoderosa (9) los ha extendido en una capa de nivel más o menos regular. Si durante el terremoto (10) que tuvo lugar en 1835 en Concepción (Chile), maravilló a todos el hecho de que algunos cuerpos pequeños hubiesen sido levantados a unas pocas pulgadas del suelo, ¿qué se dirá de un movimiento que ha obligado a unas rocas de varias toneladas de peso a moverse como la arena sobre una masa vibrátil hasta encontrar el nivel adecuado?

En la Cordillera de los Andes he visto pruebas evidentes de que enormes montañas se han roto en pedazos como una costra delgada y sus estratos han quedado en posición vertical; pero ninguna escena como la presentada por estos "ríos de piedra" ha logrado imprimir en mi mente con tanta fuerza la impresión de una convulsión sin igual en los anales de la historia. Sea como fuere, es de esperar que el progreso de las ciencias permitirá algún día dar una explicación sencilla a este fenómeno, como ha sucedido con el transporte de los bloques erráticos que se encuentran esparcidos por las llanuras de Europa, cuyo origen hasta hace

Carancho austral (Phalcoboenus australis)
Striated caracara (Phalcoboenus australis)

breathing with such a spring, and dives again so instantaneously, that I defy any one at first sight to be sure that it was not a fish leaping for sport.

Pingüino rey (Aptenodytes patagonicus)
King penguin (Aptenodytes patagonicus)

(9) "Nous n'ávons pas été moins saisis d'etonnement à la vue de l'innombrable quantité de pierres de touts grandeurs, bouleversées les unes sur les autres, et cependant rangées, comme si elles avoient été amoncelées negligemment pour remplir les ravins. On ne se lassoit pas d'admirer les effets prodigieux de la nature." – Pernety, p. 526.
(10) Un habitante de Mendoza, quien por su lugar de residencia bien puede juzgar, me aseguró que, durante los muchos años que ha residido en estas islas, nunca sintió el menor temblor.

poco era inexplicable. Pocas son las observaciones que debo hacer a propósito de la zoología de estas islas. Ya he descrito poco antes al buitre o *Polyborus*; existen además algunos halcones y búhos, y varios pájaros terrestres de pequeño tamaño, aunque pocos. Las aves marinas son particularmente numerosas, y por lo que se desprende de lo que nos cuentan los antiguos viajeros, debieron de serlo mucho más en otros tiempos. Un día estuve observando a un cuervo marino, que jugaba con un pez que había sido apresado. Por ocho veces sucesivas el pájaro soltó su presa, y luego se arrojó al agua, sumergiéndose hasta aguas profundas, para volver a salir a la superficie con el pobre pez en el pico. En el jardín zoológico he visto más de una vez cómo las nutrias juegan con sus presas lo mismo que los gatos con los ratones. No conozco otros casos en que la naturaleza parezca tan deliberadamente cruel. Otro día me interpuse entre un pingüino (*Aptenodytes demersa*) y el agua, y me divertí observando sus costumbres. Era un pájaro muy valiente, y me hizo frente hasta que consiguió llegar al mar. Para detenerlo, tendría que haberle propinado fuertes golpes. No cedía ni un palmo de terreno, irguiéndose ante mí con gran decisión. Entretanto, no cesaba de mover la cabeza de un lado para otro de una manera muy estúpida, como si no pudiera ver más que por la parte anterior y basal de cada uno de los ojos. Se suele llamar a esta ave "pájaro-burro", por su costumbre, cuando está en tierra, de echar para atrás la cabeza y producir un extraño ruido parecido al rebuzno de un asno; pero cuando está en el mar y no se lo molesta, lanza una nota profunda y solemne, que a menudo

Two kinds of geese frequent the Falklands. The upland species (Anas magellanica) is common, in pairs and in small flocks, throughout the island. They do not migrate, but build on the small outlying islets. This is supposed to be from fear of the foxes: and it is perhaps from the same cause that these birds, though very tame by day, are shy and wild in the dusk of the evening. They live entirely on vegetable matter.

The rock-goose, so called from living exclusively on the sea-beach (Anas antarctica), is common both here and on the west coast of America, as far north as Chile. In the deep and retired channels of Tierra del Fuego, the snow-white gander, invariably accompanied by his darker consort, and standing close by each other on some distant rocky point, is a common feature in the landscape.

In these islands a great loggerheaded duck or goose (Anas brachyptera), which sometimes weighs twenty-two pounds, is very abundant. These birds were in former days called, from their extraordinary manner of paddling and splashing upon the water, race-horses; but now they are named, much more appropriately, steamers. Their wings are too small and weak to allow of flight, but by their aid, partly swimming and partly flapping the surface of the water, they move very quickly. The manner is something like that by which the common house-duck escapes when pursued by a dog; but I am nearly sure that the steamer moves its wings alternately, instead of both together, as in other birds. These clumsy, loggerheaded ducks make such a noise and splashing, that the effect is exceedingly curious.

Thus we find in South America three birds which use their wings for other purposes besides

se oye en plena noche. Cuando se sumerge utiliza las aletas como nadadores; y en cambio, cuando está en tierra, estas aletas equivalen a unas patas delanteras. Cuando se arrastra, podríamos decir, a cuatro pies, sobre las malezas o por las piedras musgosas de la costa, avanza con tanta rapidez que con facilidad se lo puede confundir con un cuadrúpedo. Cuando está en el mar y se dedica a pescar, asoma a la superficie para tomar aliento y se sumerge de nuevo con tanta velocidad que parece que lo hiciera por simple deporte. En las Falkland son muy frecuentes dos clases de gansos. La especie llamada *Anas magellanica* es muy común en toda la isla y suele ir de a pares o en pequeñas bandadas. No emigran, sino que construyen sus nidos en los pequeños islotes que rodean la isla principal, quizás por temor a los zorros. Tal vez por esta misma causa, estas aves, que durante el día no parecen nada temerosas, se vuelven esquivas cuando oscurece. Se alimentan exclusivamente de vegetales. La otra especie, *Anas antarctica*, es común aquí y en la costa occidental de América. En los canales profundos y retirados de Tierra del Fuego, se ven muy a menudo parejas de estos pájaros posadas en las rocas. El macho, blanco como la nieve, va siempre acompañado de su consorte, cuyo plumaje es más oscuro.

Se encuentra con gran abundancia en estas islas un pato grande y torpe, llamado *Anas brachyptera*, que a veces llega a alcanzar 22 libras de peso. Antes se llamaba a estos pájaros "caballos de carrera", por su forma de remar cuando van por el agua, pero en la actualidad se los llama con mucha más propiedad *steamers* o barcos de vapor. Tiene las alas demasiado pequeñas y débiles para

Cauquén común (Chloephaga picta)
Upland goose (Chloephaga picta)

Caranca (Chloephaga hybrida)
Kelp goose (Chloephaga hybrida)

Pato vapor Malvinero
(Tachyeres brachypterus)
*Falkland steamer-duck
(Tachyeres brachypterus)*

flight; the penguins as fins, the steamer as paddles, and the ostrich as sails: and the Apteryz of New Zealand, as well as its gigantic extinct prototype the Deinornis, possess only rudimentary representatives of wings. The steamer is able to dive only to a very short distance. It feeds entirely on shell-fish from the kelp and tidal rocks: hence the beak and head, for the purpose of breaking them, are surprisingly heavy and strong: the head is so strong that I have scarcely

poder volar, pero gracias a ellas nada muy rápido. Su estilo es algo parecido al que utiliza el pato doméstico cuando lo persigue un perro, pero estoy casi seguro de que el pato vapor mueve las alas en forma alternativa en lugar de hacerlo simultáneamente como los otros pájaros. Estos patos tan torpes producen tanto ruido y agitan el agua de tal modo que producen un efecto en verdad curioso. Así pues, son tres las aves sudamericanas que usan las alas para otros propósitos, además de para volar: el pingüino las utiliza como nadadores, el pato como remos y el avestruz como velas. No cito entre estos pájaros al *Apteryx*, de Nueva Zelanda porque, lo mismo que su gigantesco prototipo extinguido, el *Dinornis*, posee sólo rudimentos de alas. El pato vapor únicamente puede sumergirse por poco tiempo; se alimenta de manera exclusiva de mariscos que consigue en las algas y las rocas de la costa; por un fenómeno de adaptación a esta clase de alimento tiene la cabeza y el pico muy fuertes y pesados. La primera, en especial, es tan extraordinariamente dura que apenas pude fracturar una de ellas con mi martillo de geólogo. Nuestros cazadores pronto descubrieron qué apegadas a la vida son estas aves. Al anochecer, cuando se retiran a sus refugios, producen una mezcla tal de ruidos que recuerda el concierto de las ranas toro en los trópicos.

En Tierra del Fuego, así como en las islas Falkland, realicé muchas observaciones acerca de los animales marinos inferiores (11) pero poseen escaso interés general. Sólo mencionaré una clase de hechos relativos a ciertos zoófitos que pertenecen a la división mejor organizada de esta

been able to fracture it with my geological hammer; and all our sportsmen soon discovered how tenacious these birds were of life. When in the evening pluming themselves in a flock, they make the same odd mixture of sounds which bull-frogs do within the tropics.

In Tierra del Fuego, as well as in the Falkland Islands, I made many observations on the lower marine animals, [11] but they are of little general interest. I will mention only one class of facts, relating to certain zoophytes in the more highly organized division of that class. Several genera (Flustra, Eschara, Cellaria, Crisia, and others) agree in having singular moveable organs (like those of Flustra avicularia, found in the European seas) attached to their cells. The organ, in the greater number of cases, very closely resembles the head of a vulture; but the lower mandible can be opened much wider than in a real bird's beak. The head itself possesses considerable powers of movement, by means of a short neck. In one zoophyte the head itself was fixed, but the lower jaw free: in another it was replaced by a triangular hood, with a beautifully-fitted trap-door, which evidently answered to the lower mandible. In the greater number of species, each cell was provided with one head, but in others each cell had two.

The young cells at the end of the branches of these corallines contain quite immature polypi, yet the vulture-heads attached to them, though small, are in every respect perfect. When the polypus was removed by a needle from any of the cells, these organs did not appear in the least affected. When one of the vulture-like heads was cut off from the cell, the lower mandible retained its power of opening

(11) Al contar los huevos de una gran *Doris* blanca (esta babosa de mar tenía 3.5 pulgadas de largo), me sorprendí al ver cuán numerosos eran. Había entre dos y cinco huevos (cada uno con un diámetro de 3/1.000 de pulgada) en un pequeño receptáculo esférico. Estos se disponían, en dos capas superpuestas, en filas transversales formando una cinta. La cinta se adhería en su borde a la roca, formando una espiral ovaloide. Encontré una que medía casi 20 pulgadas de largo y la mitad de eso de ancho. Contando cuántas bolas >>

[11] I was surprised to find, on counting the eggs of a large white Doris (this sea-slug was three and a half inches long), how extraordinarily numerous they were. From two to five eggs (each three-thousandths of an inch in diameter) were contained in spherical little case. These were arranged two deep in transverse rows forming a ribbon. The ribbon adhered by its edge to the rock in an oval spire. One which I found, measured nearly twenty inches in length and half in breadth. By counting how many balls were contained in a tenth of an inch in the row, and how >>

clase. Son varios los géneros (*Flustra, Eschara, Cellaria, Crisia* y otros) que coinciden en poseer órganos movibles especiales (como los de la *Flustra avicularia*, que se encuentra en los mares europeos) adheridos a sus células. El órgano, en la mayoría de los casos, tiene una forma parecida a la cabeza de un buitre, pero la mandíbula inferior puede abrirse mucho más que el pico de este pájaro. La cabeza propiamente dicha posee una gran movilidad, gracias al corto cuello de que está provista. En uno de los zoófitos la cabeza era inmóvil pero la mandíbula inferior era movible; en otro, esta mandíbula aparecía sustituida por un capuchón triangular provisto de una tapa perfectamente adaptada. En la mayoría de las especies cada célula está provista de una sola cabeza, pero en otras son dos las cabezas que se encuentran por cada célula.

Las células jóvenes, situadas al extremo de las ramas de estas coralinas, contienen pólipos que no han llegado a la madurez, a pesar de lo cual las cabezas de buitre pegadas a ellas, aunque son pequeñas, están muy bien desarrolladas. Si con una aguja se quita el pólipo de una de estas células, estos órganos no parecen afectarse en lo más mínimo. Si se arranca de una célula la cabeza de buitre, la mandíbula inferior conserva, sin embargo, su facultad de abrirse y cerrarse. Tal vez el detalle más singular de su estructura es que, cuando hay más de dos filas de células en una rama, las células centrales aparecen provistas de estos apéndices, que tienen un tamaño cuatro veces menos que los de las células exteriores. Sus movimientos varían según las especies. En algunas de ellas no pude apreciar el más mínimo movimiento. Otras, que

and closing. Perhaps the most singular part of their structure is, that when there were more than two rows of cells on a branch, the central cells were furnished with these appendages, of only one-fourth the size of the outside ones. Their movements varied according to the species; but in some I never saw the least motion; while others, with the lower mandible generally wide open, oscillated backwards and forwards at the rate of about five seconds each turn, others moved rapidly and by starts. When touched with a needle, the beak generally seized the point so firmly, that the whole branch might be shaken.

These bodies have no relation whatever with the production of the eggs or gemmules, as they are formed before the young polypi appear in the cells at the end of the growing branches; as they move independently of the polypi, and do not appear to be in any way connected with them; and as they differ in size on the outer and inner rows of cells, I have little doubt, that in their functions, they are related rather to the horny axis of the branches than to the polypi in the cells. The fleshy appendage at the lower extremity of the sea-pen (described at Bahia Blanca) also forms part of the zoophyte, as a whole, in the same manner as the roots of a tree form part of the whole tree, and not of the individual leaf or flower-buds.

In another elegant little coralline (Crisia?), each cell was furnished with a long-toothed bristle, which had the power of moving quickly. Each of these bristles and each of the vulture-like heads generally moved quite independently of the others, but sometimes all on both sides of a branch, sometimes only those on one side, moved together coinstantaneously, sometimes each moved in regular order one after another.

>> había en cada décimo de pulgada en la fila y cuántas filas había en un largo parejo de la cinta, calculo que había 600,000 huevos. Esta Doris no era muy común; encontré sólo siete individuos bajo las rocas. No hay falacia más común entre los naturalistas, que creer que la población de una especie depende de sus poderes de propagación.

>> *many rows in an equal length of the ribbon, on the most moderate computation there were six hundred thousand eggs. Yet this Doris was certainly not very common; although I was often searching under the stones, I saw only seven individuals. No fallacy is more common with naturalists, than that the numbers of an individual species depend on its powers of propagation.*

presentaban la mandíbula inferior abierta por completo, oscilaban hacia delante y hacia atrás a una velocidad de cinco segundos para cada movimiento, mientras algunas otras se movían con rapidez y por sacudidas. Cuando se toca el pico con una aguja, agarra la punta con tal fuerza que puede llegar a sacudir toda la rama.

Estos cuerpos no tienen relación alguna con la producción de los huevos o gémulas, porque se forman antes de que los pólipos jóvenes aparezcan en las células situadas al extremo de las ramas. Como sea que se mueven con entera independencia de los pólipos y no parecen tener la menor relación con ellos, así como por el hecho de que su tamaño difiere según las células sean internas o externas, no me cabe duda de que sus funciones están relacionadas más bien con el conjunto de las ramas que con los pólipos que ocupan la célula. El apéndice carnoso de la extremidad inferior de la pluma de mar (descrita en Bahía Blanca) parte también del conjunto del zoófito, de la misma manera que las raíces de un árbol forman parte de él en conjunto, y no sólo de las hojas o de las flores.

En otra pequeña coralina de forma muy elegante (*Crisia?*), cada célula lleva una especie de cepillo de pelo largo que tiene el poder de moverse con rapidez. Por lo general, estos cepillos, así como las cabezas de buitre, se mueven de manera independiente unos de otros, pero a veces todos los de un lado de una rama se mueven al mismo tiempo, y otras veces se mueven uno tras otro con un orden perfecto. De todo ello parece deducirse que el zoófito puede moverlos a voluntad, como si el conjunto de pólipos que forman el animal tuviese una sola

In these actions we apparently behold as perfect a transmission of will in the zoophyte, though composed of thousands of distinct polypi, as in any single animal. The case, indeed, is not different from that of the sea-pens, which, when touched, drew themselves into the sand on the coast of Bahia Blanca. I will state one other instance of uniform action, though of a very different nature, in a zoophyte closely allied to Clytia, and therefore very simply organized. Having kept a large tuft of it in a basin of salt-water, when it was dark I found that as often as I rubbed any part of a branch, the whole became strongly phosphorescent with a green light: I do not think I ever saw any object more beautifully so. But the remarkable circumstance was, that the flashes of light always proceeded up the branches, from the base towards the extremities.

The examination of these compound animals was always very interesting to me. What can be more remarkable than to see a plant-like body producing an egg, capable of swimming about and of choosing a proper place to adhere to, which then sprouts into branches, each crowded with innumerable distinct animals, often of complicated organizations? The branches, moreover, as we have just seen, sometimes possess organs capable of movement and independent of the polypi. Surprising as this union of separate individuals in a common stock must always appear, every tree displays the same fact, for buds must be considered as individual plants. It is, however, natural to consider a polypus, furnished with a mouth, intestines, and other organs, as a distinct individual, whereas the individuality of a leaf-bud is not easily realised; so that the union of

capacidad directriz. Esta circunstancia es exactamente la misma que caracteriza a las plumas de mar, las cuales, cuando las toqué, se ocultaron en la arena en la costa de Bahía Blanca. Tuve ocasión de comprobar otro ejemplo de actividad conjunto, aunque de naturaleza distinta, en un zoófito muy parecido a la *Clytia,* y por consiguiente de organización muy sencilla. Conservaba en una jofaina de agua salada una gran madeja de esta especie y observé que cuando tocaba una rama cualquiera, el conjunto fosforecía, emitiendo una luz verde y produciendo un efecto maravilloso. Un detalle curioso es que las olas de luz se originaban siempre en la base de las ramas y ascendían hasta sus extremos.

El estudio de estos animales compuestos siempre me ha interesado mucho. Creo que no hay nada más curioso que ver cómo un cuerpo parecido a una planta produce un huevo, dotado de la facultad de nadar y de escoger un lugar adecuado al que adherirse, y que luego forma diversas ramas -cada una llena de innumerables animales distintos- que a menudo tienen organismos muy complicados. Además, como acabo de decir, estas ramas poseen a veces órganos capaces de movimiento e independientes de los pólipos. Por sorprendente que nos parezca esta unión de individuos distintos en un tallo común, todos los árboles nos muestran el mismo ejemplo, porque sus yemas deben considerarse como otras tantas plantas individuales. No obstante, es natural considerar a los pólipos, que poseen boca, intestinos y otros órganos, como individuos distintos, mientras que la individualidad de la yema del árbol resulta más difícil de comprender. En consecuencia, la unión de individuos separados

separate individuals in a common body is more striking in a coralline than in a tree. Our conception of a compound animal, where in some respects the individuality of each is not completed, may be aided, by reflecting on the production of two distinct creatures by bisecting a single one with a knife, or where Nature herself performs the task of bisection. We may consider the polypi in a zoophyte, or the buds in a tree, as cases where the division of the individual has not been completely effected. Certainly in the case of trees, and judging from analogy in that of corallines, the individuals propagated by buds seem more intimately related to each other, than eggs or seeds are to their parents. It seems now pretty well established that plants propagated by buds all partake of a common duration of life; and it is familiar to every one, what singular and numerous peculiarities are transmitted with certainty, by buds, layers, and grafts, which by seminal propagation never or only casually reappear.

en un cuerpo común es más llamativo en una coralina que en un árbol. Nuestro concepto de un animal compuesto, en el cual la individualidad de cada una de sus partes no es completa en algunos aspectos, puede hacerse más claro si se piensa que en algunos casos pueden crearse dos seres distintos de uno solo, solo cortándolo con un cuchillo, cuando no es la misma naturaleza la que se encarga de llevar a cabo esta bisección. Podemos considerar a los pólipos de un zoófito o a las yemas de un árbol, como casos en que la división no se ha llevado a cabo por completo. Es cierto que en el caso de los árboles, así como en las coralinas, los individuos propagados por medio de las yemas parecen más íntimamente relacionados entre sí que los huevos o las semillas con sus padres. Hoy está comprobado que las plantas propagadas por medio de yemas tienen todas la misma duración, y todos sabemos qué singulares y numerosas son las peculiaridades que se transmiten con toda seguridad por medio de yemas, estacas e injertos; peculiaridades que nunca se transmiten en la propagación a base de semillas, y que si se transmiten de este modo es sólo por casualidad.

capítulo 3

PRIMER ARRIBO A TIERRA DEL FUEGO. BAHÍA BUEN SUCESO.

RELATO SOBRE LOS FUEGUINOS A BORDO.

CHARLA CON LOS SALVAJES. ASPECTO DE LOS BOSQUES.

CABO DE HORNOS. CALETA WIGWAM. MISERABLE CONDICIÓN DE LOS SALVAJES.

HAMBRUNAS. CANÍBALES. MATRICIDIO. SENTIMIENTOS RELIGIOSOS.

GRAN TORMENTA. CANAL DE BEAGLE. ESTRECHO DE PONSONBY.

CONSTRUCCIÓN DE CHOZAS PARA AFINCAR A LOS FUEGUINOS.

BIFURCACIÓN DEL CANAL BEAGLE. GLACIARES. RETORNO AL BARCO.

SEGUNDA VISITA EN BARCO AL ESTABLECIMIENTO.

IGUALDAD DE CONDICIÓN ENTRE LOS NATIVOS.

chapter 3

TIERRA DEL FUEGO, FIRST ARRIVAL. GOOD SUCCESS BAY.

AN ACCOUNT OF THE FUEGIANS ON BOARD.

INTERVIEW WITH THE SAVAGES. SCENERY OF THE FORESTS.

CAPE HORN. WIGWAM COVE. MISERABLE CONDITION OF THE SAVAGES.

FAMINES. CANNIBALS. MATRICIDE. RELIGIOUS FEELINGS.

GREAT GALE. BEAGLE CHANNEL. PONSONBY SOUND.

BUILD WIGWAMS AND SETTLE THE FUEGIANS.

BIFURCATION OF THE BEAGLE CHANNEL. GLACIERS. RETURN TO THE SHIP.

SECOND VISIT IN THE SHIP TO THE SETTLEMENT.

EQUALITY OF CONDITION AMONGST THE NATIVES.

17 DE DICIEMBRE DE 1832

Terminada la descripción de la Patagonia y las Islas Falkland, pasaré a describir nuestro primer arribo a Tierra del Fuego. Poco después del mediodía doblamos el Cabo San Diego y nos adentramos por el conocido estrecho de Le Maire. Nos mantuvimos muy cerca de la costa de Tierra del Fuego, pero la silueta abrupta e inhospitalaria de Staten-Land * era visible entre las nubes. Por la tarde anclamos en la bahía Buen Suceso. Cuando entramos en la bahía fuimos saludados de una manera muy propia de los habitantes de aquella tierra salvaje. Un grupo de fueguinos, semiocultos entre la espesura se situaron en la cumbre de un promontorio que dominaba el mar y cuando pasamos por allí se levantaron todos de un salto y, haciendo ondular sus mantas andrajosas, lanzaron un alarido fuerte y muy sonoro. Los salvajes siguieron al barco y, en el momento en que empezaba a oscurecer, pudimos ver que habían encendido fuego; oímos de nuevo sus gritos salvajes. El puerto consiste en una hermosa extensión de agua rodeada por un semicírculo de bajas montañas de pizarra arcillosa, de formas suaves, cubiertas por densos bosques hasta el mismo borde del agua. Me bastó dirigir una mirada al paisaje para comprender qué distinto era a todo cuanto había visto hasta entonces. Por la noche, sopló un poco de viento y cayeron algunos chubascos procedentes de las montañas. Con seguridad, en alta mar debía de haber tormenta, de modo que, lo mismo que muchos otros, bien pudimos llamar a aquella bahía la del Buen Suceso.

DECEMBER 17th, 1832

Having now finished with Patagonia and the Falkland Islands, I will describe our first arrival in Tierra del Fuego. A little after noon we doubled Cape St. Diego, and entered the famous strait of Le Maire. We kept close to the Fuegian shore, but the outline of the rugged, inhospitable Statenland was visible amidst the clouds. In the afternoon we anchored in the Bay of Good Success. While entering we were saluted in a manner becoming the inhabitants of this savage land. A group of Fuegians partly concealed by the entangled forest, were perched on a wild point overhanging the sea; and as we passed by, they sprang up and waving their tattered cloaks sent forth a loud and sonorous shout. The savages followed the ship, and just before dark we saw their fire, and again heard their wild cry. The harbour consists of a fine piece of water half surrounded by low rounded mountains of clay- slate, which are covered to the water's edge by one dense gloomy forest. A single glance at the landscape was sufficient to show me how widely different it was from anything I had ever beheld. At night it blew a gale of wind, and heavy squalls from the mountains swept past us. It would have been a bad time out at sea, and we, as well as others, may call this Good Success Bay.

In the morning the Captain sent a party to communicate with the Fuegians. When we came within hail, one of the four natives who were present advanced to receive us, and began to shout most vehemently, wishing to direct us where to land.

* Se refiere a la isla de los Estados. (N. del E.)

Por la mañana, el capitán envió una representación para establecer contacto con los fueguinos. Cuando llegamos al alcance de la voz, uno de los cuatro nativos que estaban en la costa se adelantó para recibirnos y empezó a gritarnos con gran vehemencia para indicarnos el punto donde debíamos desembarcar. Al llegar a la playa, los salvajes parecían bastante alarmados, pero seguían hablando y gesticulando con gran rapidez. Desde luego, aquel fue el espectáculo más curioso e interesante que he visto en mi vida. Hasta entonces no tenía idea de la enorme diferencia que existe entre un hombre civilizado y un hombre salvaje. Esta diferencia es mayor que la que hay entre una fiera y un animal doméstico, por cuanto en el hombre existe una mayor capacidad de mejoramiento, muy superior a la de los animales. El indígena que se dirigió a nosotros era un anciano y al parecer debía ser un jefe de familia; los otros tres eran jóvenes muy fuertes y tendrían una estatura de unos seis pies. Por lo visto habían enviado al interior a sus mujeres y niños. Los fueguinos son una raza muy diferente de las que se encuentran más hacia el oeste, compuesta por individuos desmedrados y miserables; al parecer tienen una relación muy estrecha con los famosos patagónicos del Estrecho de Magallanes. Su único vestido consiste en un mantón hecho de piel de guanaco, con el pelo por la parte de fuera; lo llevan alrededor de los hombros, de modo que ocultan y exhiben alternativamente el resto de su cuerpo. Tienen la tez de un color rojo cobrizo, algo sucio.

El anciano llevaba una hilera de plumas blancas atada alrededor de la cabeza, que en parte sujetaba su pelo enmarañado, negro y áspero. Dos

When we were on shore the party looked rather alarmed, but continued talking and making gestures with great rapidity. It was without exception the most curious and interesting spectacle I ever beheld: I could not have believed how wide was the difference between savage and civilized man: it is greater than between a wild and domesticated animal, inasmuch as in man there is a greater power of improvement. The chief spokesman was old, and appeared to be the head of the family; the three others were powerful young men, about six feet high. The women and children had been sent away. These Fuegians are a very different race from the stunted, miserable wretches farther westward; and they seem closely allied to the famous Patagonians of the Strait of Magellan. Their only garment consists of a mantle made of guanaco skin, with the wool outside: this they wear just thrown over their shoulders, leaving their persons as often exposed as covered. Their skin is of a dirty coppery-red colour.

The old man had a fillet of white feathers tied round his head, which partly confined his black, coarse, and entangled hair. His face was crossed by two broad transverse bars; one, painted bright red, reached from ear to ear and included the upper lip; the other, white like chalk, extended above and parallel to the first, so that even his eyelids were thus coloured. The other two men were ornamented by streaks of black powder, made of charcoal. The party altogether closely resembled the devils which come on the stage in plays like Der Freischutz.

Their very attitudes were abject, and the expression of their countenances distrustful, surprised, and startled. After we had presented them with

anchas fajas de color transversales cruzaban su rostro; una de ellas, pintada de rojo brillante, se extendía de una oreja a otra e incluía el labio superior; la otra, blanca como el yeso, se extendía por encima de la primera, en forma paralela, de modo que hasta los párpados estaban pintados de blanco. Los otros ostentaban unas franjas pintadas con polvo de carbón. En conjunto tenían un gran parecido con los demonios que suelen aparecer en obras como *Der Freischutz.*

Su aspecto era abyecto y la expresión de sus rostros desconfiada, sorprendida y alarmada. En cuanto les obsequiamos unos pedazos de tela roja, que en seguida se anudaron alrededor del cuello, empezamos a ser buenos amigos. El anciano nos demostró sus sentimientos de amistad dándonos una palmada en el pecho y produciendo un sonido especial, parecido al que usan los granjeros cuando van a dar la comida a las gallinas. Yo caminaba al lado del anciano y recibí varias veces esa demostración de amistad; el saludo terminó con tres fuertes palmadas que el viejo me propinó en el pecho y en la espalda al mismo tiempo. Luego puso al descubierto su tórax, como invitándome a corresponder. Así lo hice, y pareció encantado con ello. La lengua de esta gente, de acuerdo con nuestros conocimientos, apenas merece el calificativo de articulada. El capitán Cook la ha comparado con el sonido que produce un hombre cuando se aclara la garganta, pero ningún europeo se ha aclarado nunca la garganta produciendo unos sonidos tan ásperos, guturales y chasqueantes.

Todos ellos son excelentes mimos: en cuanto alguno de nosotros tosía, bostezaba o realizaba

some scarlet cloth, which they immediately tied round their necks, they became good friends. This was shown by the old man patting our breasts, and making a chuckling kind of noise, as people do when feeding chickens. I walked with the old man, and this demonstration of friendship was repeated several times; it was concluded by three hard slaps, which were given me on the breast and back at the same time. He then bared his bosom for me to return the compliment, which being done, he seemed highly pleased. The language of these people, according to our notions, scarcely deserves to be called articulate. Captain Cook has compared it to a man clearing his throat, but certainly no European ever cleared his throat with so many hoarse, guttural, and clicking sounds.

They are excellent mimics: as often as we coughed or yawned, or made any odd motion, they immediately imitated us. Some of our party began to squint and look awry; but one of the young Fuegians (whose whole face was painted black, excepting a white band across his eyes) succeeded in making far more hideous grimaces. They could repeat with perfect correctness each word in any sentence we addressed them, and they remembered such words for some time. Yet we Europeans all know how difficult it is to distinguish apart the sounds in a foreign language. Which of us, for instance, could follow an American Indian through a sentence of more than three words? All savages appear to possess, to an uncommon degree, this power of mimicry. I was told, almost in the same words, of the same ludicrous habit among the Caffres; the Australians, likewise, have long been notorious for being able to imitate

cualquier otro movimiento trivial, de inmediato nos imitaban. Algunos de nuestros hombres empezaron a bizquear y a mirar de reojo, pero uno de los jóvenes fueguinos (que llevaba toda la cara pintada de negro, excepto una franja blanca a la altura de los ojos) consiguió hacer muecas más horrendas todavía. Aquellos indígenas eran capaces de repetir con la mayor perfección todas las palabras de cualquier frase que se les dirigía y recordaban dichas palabras durante algún tiempo. Y sin embargo los europeos sabemos muy bien qué difícil resulta separar los sonidos de una lengua extranjera. ¿Cuál de nosotros, por ejemplo, podría seguir una frase pronunciada por un indio americano hasta más allá de tres palabras? Todos los salvajes, al parecer, poseen en grado excepcional esta capacidad de imitación. Alguien me ha hablado, casi con las mismas palabras, de esta misma costumbre o hábito, como muy corriente entre los Cafres; de igual forma, los australianos se distinguen por su habilidad en imitar y describir los andares de cualquier otra persona, hasta el punto de que resulta fácil reconocer al individuo imitado. ¿Cómo puede explicarse esta rara facultad? ¿Acaso será consecuencia de la mayor agudeza de los sentidos, común a todos los hombres en estado salvaje por comparación con los civilizados? Cuando nuestro grupo empezó a entonar una canción, temí que los fueguinos fueran a caerse de espaldas, tal el asombro que experimentaron. Con la misma sorpresa observaron nuestro bailes, pero uno de los jóvenes, cuando se lo pedimos, no tuvo la menor dificultad en danzar por unos momentos. Aunque al parecer están poco acostumbrados a recibir visitas de los europeos, conocen y temen

and describe the gait of any man, so that he may be recognized. How can this faculty be explained? Is it a consequence of the more practised habits of perception and keener senses, common to all men in a savage state, as compared with those long civilized? When a song was struck up by our party, I thought the Fuegians would have fallen down with astonishment. With equal surprise they viewed our dancing; but one of the young men, when asked, had no objection to a little waltzing. Little accustomed to Europeans as they appeared to be, yet they knew and dreaded our fire-arms; nothing would tempt them to take a gun in their hands. They begged for knives, calling them by the Spanish word "cuchilla". They explained also what they wanted, by acting as if they had a piece of blubber in their mouth, and then pretending to cut instead of tear it.

I have not as yet noticed the Fuegians whom we had on board. During the former voyage of the Adventure *and* Beagle *in 1826 to 1830, Captain Fitz Roy seized on a party of natives, as hostages for the loss of a boat, which had been stolen, to the great jeopardy of a party employed on the survey; and some of these natives, as well as a child whom he bought for a pearl-button, he took with him to England, determining to educate them and instruct them in religion at his own expense. To settle these natives in their own country, was one chief inducement to Captain Fitz Roy to undertake our present voyage; and before the Admiralty had resolved to send out this expedition, Captain Fitz Roy had generously chartered a vessel, and would himself have taken them back. The natives were accompanied by a missionary, R. Matthews; of whom and of*

nuestras armas de fuego, hasta tal punto que fue imposible obligarlos a tomar un fusil entre sus manos. En cambio, no cesaron de pedirnos cuchillos, a los que se referían usando la palabra española (cuchilla). Nos explicaron también lo que deseaban, gesticulando como si tuviesen en la boca un pedazo de grasa animal y pretendieran cortarlo en lugar de desgarrarlo.

Hasta ahora no he mencionado a los indígenas fueguinos que llevábamos a bordo. Durante el anterior viaje del *Adventure* y el *Beagle*, de 1826 a 1830, el capitán Fitz Roy apresó a un grupo de nativos como rehenes por la pérdida de un bote, cuyo robo había puesto en peligro a uno de los grupos que participaba del relevamiento. Llevó a Inglaterra a algunos de estos nativos, entre ellos un niño que había comprado por un botón de nácar, con el propósito de educarlos e instruirlos en su religión a sus expensas. Uno de los principales motivos por los que el capitán Fitz Roy emprendió nuestro presente viaje, fue reintegrar a estos nativos a su tierra y antes de que el Almirantazgo decidiera enviarnos a esta expedición, el capitán Fitz Roy había fletado con generosidad un navío y se disponía a conducirlos personalmente a Tierra del Fuego. Acompañaba a los nativos un misionero, el reverendo Matthews, acerca del cual, así como de los nativos, el capitán Fitz Roy ha publicado un informe completo y en verdad excelente. Los expatriados habían sido dos hombres (uno de los cuales murió de viruela en Inglaterra), un muchacho y una niña, y a la sazón llevábamos a bordo a York Minster, Jemmy Button (cuyo nombre expresa la moneda con que fue adquirido) y Fuegia Basket. York Minster era un

the natives, Captain Fitz Roy has published a full and excellent account. Two men, one of whom died in England of the small-pox, a boy and a little girl, were originally taken; and we had now on board, York Minster, Jemmy Button (whose name expresses his purchase-money), and Fuegia Basket. York Minster was a full-grown, short, thick, powerful man: his disposition was reserved, taciturn, morose, and when excited violently passionate; his affections were very strong towards a few friends on board; his intellect good. Jemmy Button was a universal favourite, but likewise passionate; the expression of his face at once showed his nice disposition. He was merry and often laughed, and was remarkably sympathetic with any one in pain: when the water was rough, I was often a little sea-sick, and he used to come to me and say in a plaintive voice, "Poor, poor fellow!" but the notion, after his aquatic life, of a man being sea-sick, was too ludicrous, and he was generally obliged to turn on one side to hide a smile or laugh, and then he would repeat his "Poor, poor fellow!" He was of a patriotic disposition; and he liked to praise his own tribe and country, in which he truly said there were "plenty of trees", and he abused all the other tribes: he stoutly declared that there was no Devil in his land. Jemmy was short, thick, and fat, but vain of his personal appearance; he used always to wear gloves, his hair was neatly cut, and he was distressed if his well-polished shoes were dirtied. He was fond of admiring himself in a looking glass; and a merry-faced little Indian boy from the Rio Negro, whom we had for some months on board, soon perceived this, and used to mock him: Jemmy, who was always rather jealous of the

hombre adulto, de corta estatura y fuerte constitución; su carácter era reservado, taciturno y malhumorado, y al emocionarse se ponía violentamente apasionado; experimentaba un gran afecto por algunos amigos a bordo y era inteligente. Jemmy Button era el favorito, aunque también muy apasionado; la expresión de su rostro denotaba a la primera mirada su buen carácter. Era feliz, reía muy a menudo, y se mostraba compasivo con todos los que tenían alguna pena o se encontraban mal. Cuando el mar estaba agitado, a menudo yo me sentía mareado, entonces Jemmy solía acercárseme para decirme: "¡Pobre, pobre amigo mío!". Sin embargo, el espectáculo de un hombre mareado por el mar resultaba demasiado cómico para él, tan acostumbrado a la vida marítima, y casi siempre se veía obligado a volver el rostro a un lado para ocultar una sonrisa o una carcajada, mientras repetía su "¡Pobre, pobre amigo mío!". Era muy patriota y le gustaba alabar a su tribu y a su tierra; decía, con razón, que había allí "muchos árboles", y se burlaba de las otras tribus. Afirmaba con gran seguridad que en su tierra, el Diablo no existía. Jemmy era bajo, fuerte y gordezuelo, pero estaba muy orgulloso de su aspecto personal; solía llevar guantes, el pelo muy corto, y se disgustaba cuando sus zapatos bien lustrados se ensuciaban. Le encantaba mirarse en el espejo, y un muchachito indio de cara risueña, procedente de la zona del río Negro, que llevamos a bordo durante algunos meses, pronto se dio cuenta de este detalle y acostumbraba burlarse de él. Jemmy, que estaba muy celoso de la atención que le prestábamos a aquel muchachito, no sentía el menor afecto por él y solía decir, moviendo la cabeza

attention paid to this little boy, did not at all like this, and used to say, with rather a contemptuous twist of his head, "Too much skylark". It seems yet wonderful to me, when I think over all his many good qualities that he should have been of the same race, and doubtless partaken of the same character, with the miserable, degraded savages whom we first met here. Lastly, Fuegia Basket was a nice, modest, reserved young girl, with a rather pleasing but sometimes sullen expression, and very quick in learning anything, especially languages. This she showed in picking up some Portuguese and Spanish, when left on shore for only a short time at Rio de Janeiro and Monte Video, and in her knowledge of English. York Minster was very jealous of any attention paid to her; for it was clear he determined to marry her as soon as they were settled on shore.

Although all three could both speak and understand a good deal of English, it was singularly difficult to obtain much information from them, concerning the habits of their countrymen; this was partly owing to their apparent difficulty in understanding the simplest alternative. Every one accustomed to very young children, knows how seldom one can get an answer even to so simple a question as whether a thing is black or white; the idea of black or white seems alternately to fill their minds. So it was with these Fuegians, and hence it was generally impossible to find out, by cross questioning, whether one had rightly understood anything which they had asserted. Their sight was remarkably acute; it is well known that sailors, from long practice, can make out a distant object much better than a landsman; but both York and Jemmy were much superior to any

despectivamente: "Tiene la cabeza con pájaros". Cuando pienso en sus excelentes cualidades, me asombra el hecho de que aquel joven fuese de la misma raza y sin duda tuviese el mismo carácter de los miserables salvajes que encontré en Tierra del Fuego. Finalmente, Fuegia Basket era una muchachita afable, modesta y reservada, con una expresión agradable pero a veces taciturna y con mucha disposición para aprenderlo todo, en especial los idiomas. Esta última cualidad la demostró cumplidamente aprendiendo un poco de portugués y español cuando tuvo que quedarse en tierra por unos días en Río de Janeiro y en Montevideo, y sobre todo lo demostró con su casi perfecto conocimiento del idioma inglés. York Minster se mostraba celoso en cuanto alguien se fijaba demasiado en la muchacha porque, al parecer, estaba decidido a casarse con ella en cuanto llegasen a su tierra. Aunque los tres hablaban y entendían el inglés, era extraordinariamente difícil conseguir de ellos información acerca de las costumbres de sus paisanos, en parte debido a su evidente dificultad en comprender la más sencilla comparación o alternativa. Los que conocen el carácter de los niños pequeños, saben muy bien qué difícil es conseguir de ellos una contestación aunque se trate de preguntas tan sencillas como si una cosa es blanca o negra; la idea de blanco o negro parece acudir a sus mentes en forma alternativa y con la misma intensidad. Lo mismo ocurría con aquellos fueguinos y por esto era imposible averiguar, haciéndoles nuevas preguntas, si uno había comprendido con exactitud lo que ellos habían explicado. Tienen una vista muy aguda; ya es sabido que los marineros, en razón de su larga práctica, distinguen los objetos lejanos mucho antes que los

sailor on board: several times they have declared what some distant object has been, and though doubted by every one, they have proved right, when it has been examined through a telescope. They were quite conscious of this power; and Jemmy, when he had any little quarrel with the officer on watch, would say, "Me see ship, me no tell".

It was interesting to watch the conduct of the savages, when we landed, towards Jemmy Button: they immediately perceived the difference between him and ourselves, and held much conversation one with another on the subject. The old man addressed a long harangue to Jemmy, which it seems was to invite him to stay with them But Jemmy understood very little of their language, and was, moreover, thoroughly ashamed of his countrymen. When York Minster afterwards came on shore, they noticed him in the same way, and told him he ought to shave; yet he had not twenty dwarf hairs on his face, whilst we all wore our untrimmed beards. They examined the colour of his skin, and compared it with ours. One of our arms being bared, they expressed the liveliest surprise and admiration at its whiteness, just in the same way in which I have seen the ourangoutang do at the Zoological Gardens. We thought that they mistook two or three of the officers, who were rather shorter and fairer, though adorned with large beards, for the ladies of our party. The tallest amongst the Fuegians was evidently much pleased at his height being noticed. When placed back to back with the tallest of the boat's crew, he tried his best to edge on higher ground, and to stand on tiptoe. He opened his mouth to show his teeth, and turned his face for a side view; and all this was done with such alacrity,

hombres de tierra pero incluso así, York y Jemmy sobrepasaban en este aspecto a todos los marineros del barco. Varias veces habían afirmado que veían algún objeto distante y aunque todos los demás lo dudaban, tenían que terminar reconociendo su acierto cuando decidían emplear un largavistas. Ambos tenían plena conciencia de esta cualidad y Jemmy, cuando se peleaba con algún oficial de guardia, solía decir: "Yo ver barco, yo no decir".

Resultó interesante observar el modo de conducirse de los salvajes con Jemmy Button; en cuanto tomamos tierra, en seguida se dieron cuenta de la diferencia que existía entre él y nosotros, cosa que comentaron largamente entre sí. El anciano dirigió un prolongado parlamento a Jemmy, durante el cual, al parecer, lo invitó a quedarse con ellos. Pero Jemmy apenas entendía su lengua y, además, parecía un poco avergonzado de sus paisanos. York Minster desembarcó un poco más tarde, y los salvajes, casi de inmediato, le dijeron que tenía que afeitarse, a pesar de que en su rostro no había más que una veintena de pelillos desmedrados, mientras que todos los demás andábamos con sendas barbas de apóstol. Los fueguinos examinaron el color de su piel comparándola con la nuestra; obligaron a uno de nosotros a exhibir el brazo desnudo y demostraron la mayor sorpresa y admiración ante su blancura, exactamente de la misma manera en que en cierta ocasión vi hacerlo a un orangután en el Parque Zoológico. Al parecer confundieron a dos o tres de nuestros oficiales que eran bastante más bajos que nosotros y de facciones muy regulares, con mujeres, a pesar de que ostentaban también espesas barbas. Al más alto de los fueguinos le

that I dare say he thought himself the handsomest man in Tierra del Fuego. After our first feeling of grave astonishment was over, nothing could be more ludicrous than the odd mixture of surprise and imitation which these savages every moment exhibited.

The next day I attempted to penetrate some way into the country. Tierra del Fuego may be described as a mountainous land, partly submerged in the sea, so that deep inlets and bays occupy the place where valleys should exist. The mountain sides, except on the exposed western coast, are covered from the water's edge upwards by one great forest. The trees reach to an elevation of between 1000 and 1500 feet, and are succeeded by a band of peat, with minute

encantaba llamar la atención sobre su altura. Al ponerse espalda contra espalda con el más alto de nuestra tripulación, hizo todo lo posible para colocarse en un plano un poco más alto y sostenerse de puntillas. Abrió la boca para enseñarnos los dientes y luego nos mostró su perfil, con tanto énfasis que me atrevo a asegurar que se consideraba el hombre más guapo de Tierra del Fuego. Después de los primeros momentos de asombro, nos divertimos mucho observando la curiosa mezcla de sorpresa y espíritu de imitación que demostraban aquellos salvajes durante todo el tiempo.

Al día siguiente, me metí en el interior de la región. Tierra del Fuego puede describirse como un territorio montañoso sumergido de manera parcial en el mar de modo que las profundas bahías que hay en la costa ocupan el lugar donde debieron de existir los antiguos valles. Las laderas de las montañas, excepto en la costa occidental, están cubiertas por el agua hasta el límite de un gran bosque. Los árboles se encuentran hasta alturas de 1.000 y 1.500 pies; más arriba el terreno es turboso y crecen en él diminutas plantas alpinas; a partir de esta zona están las nieves perpetuas que, según el capitán King, en el Estrecho de Magallanes descienden hasta los 3.000 y 4.000 pies. Es raro encontrar un acre de terreno llano. Sólo recuerdo una pequeña llanura cerca de Port Famine y otra, algo más extensa, cerca del paso Georee. En ambos lugares y en todo el resto del territorio, la superficie está cubierta por una gruesa capa de turba pantanosa. Incluso en el interior del bosque, el suelo permanece oculto bajo una masa de materias vegetales

alpine plants; and this again is succeeded by the line of perpetual snow, which, according to Captain King, in the Strait of Magellan descends to between 3000 and 4000 feet. To find an acre of level land in any part of the country is most rare. I recollect only one little flat piece near Port Famine, and another of rather larger extent near Goeree Road. In both places, and everywhere else, the surface is covered by a thick bed of swampy peat. Even within the forest, the ground is concealed by a mass of slowly putrefying vegetable matter, which, from being soaked with water, yields to the foot.

Finding it nearly hopeless to push my way through the wood, I followed the course of a mountain torrent. At first, from the waterfalls and number of dead trees, I could hardly crawl along; but the bed of the stream soon became a little more open, from the floods having swept the sides. I continued slowly to advance for an hour along the broken and rocky banks, and was amply repaid by the grandeur of the scene. The gloomy depth of the ravine well accorded with the universal signs of violence. On every side were lying irregular masses of rock and torn-up trees; other trees, though still erect, were decayed to the heart and ready to fall. The entangled mass of the thriving and the fallen reminded me of the forests within the tropics — yet there was a difference: for in these still solitudes, Death, instead of Life, seemed the predominant spirit. I followed the watercourse till I came to a spot where a great slip had cleared a straight space down the mountain side. By this road I ascended to a considerable elevation, and obtained a good view of the surrounding woods. The trees all

en lenta putrefacción que, al estar empapada en agua, cede bajo el pie.

Descubrí que me resultaría imposible avanzar a través del bosque y decidí seguir el curso de un torrente. Al principio, a causa de las cascadas y del gran número de árboles muertos, me fue difícil avanzar pero pronto el lecho del río se presentó más despejado, por las inundaciones que habían barrido sus costados. Durante una hora continué avanzando muy despacio a lo largo de las orillas rocosas, maravillándome ante la grandeza del espectáculo que se ofrecía a mis ojos. El tajo sombrío del barranco concordaba a la perfección con las demás señales de violencia que ofrecía el paisaje. A ambos lados yacían masas irregulares de rocas y troncos de árboles destruidos; otros árboles, aunque todavía continuaban erguidos, estaban huecos hasta el mismo corazón y no tardarían en caer. La masa enmarañada que formaban las plantas florecientes con las otras caídas, me recordaba los bosques del interior de los trópicos, aunque había entre ellos una gran diferencia: en estas soledades silenciosas,

belong to one kind, the Fagus betuloides; *for the number of the other species of* Fagus *and of the Winter's Bark, is quite inconsiderable. This beech keeps its leaves throughout the year; but its foliage is of a peculiar brownish-green colour, with a tinge of yellow. As the whole landscape is thus coloured, it has a sombre, dull appearance; nor is it often enlivened by the rays of the sun.*

December 20th

One side of the harbour is formed by a hill about 1500 feet high, which Captain Fitz Roy has called after Sir J. Banks, in commemoration of his disastrous excursion, which proved fatal to two men of his party, and nearly so to Dr. Solander. The snowstorm, which was the cause of their misfortune, happened in the middle of January, corresponding to our July, and in the latitude of Durham! I was anxious to reach the summit of this mountain to

Coihue (Nothofagus betuloides) - *Winter's bark (Nothofagus betuloides)*

la muerte y no la vida parecía ser el espíritu predominante. Seguí el curso del torrente hasta un lugar donde un gran alud había desbrozado una extensa zona de la ladera. Aprovechando aquel claro, ascendí hasta una altura considerable y conseguí divisar el panorama de los bosques que me rodeaban. Todos los árboles pertenecían a una misma especie, el *Fagus betuloides*, ya que el número de otras especies de *Fagus* y de árboles de leña dura era insignificante. Esta clase de *Nothofagus* es de hoja perenne, pero su follaje ofrece un color verde pardusco con cierto matiz amarillento. Como todo el paisaje tiene este color, el aspecto general es sombrío y melancólico; los rayos del sol pocas veces consiguen vivificarlo.

20 DE DICIEMBRE

Uno de los lados del puerto está formado por una colina de unos 1.500 pies de altura, a la cual el capitán Fitz Roy bautizó con el nombre de Sir J. Banks, en recuerdo de su desgraciada expedición que fue fatal para dos de los miembros de su equipo y casi para el doctor Solander. La tormenta de nieve que causó su desgracia se desencadenó a mediados de enero, que corresponde a nuestro mes de julio, y en la misma latitud de Durham. Yo estaba deseoso de llegar a la cumbre de esta montaña para recoger algunas plantas alpinas, porque en las zonas más bajas las flores son muy escasas. Seguimos el mismo curso de agua que el día anterior, hasta que se perdió en la tierra, y nos vimos obligados a avanzar a ciegas entre los árboles. Estos, debido a la altura y a los vientos impetuosos que debían soportar, eran bajos, gruesos y deformes. Al fin, llegamos a lo que a

collect alpine plants; for flowers of any kind in the lower parts are few in number. We followed the same watercourse as on the previous day, till it dwindled away, and we were then compelled to crawl blindly among the trees. These, from the effects of the elevation and of the impetuous winds, were low, thick and crooked. At length we reached that which from a distance appeared like a carpet of fine green turf, but which, to our vexation, turned out to be a compact mass of little beech-trees about four or five feet high. They were as thick together as box in the border of a garden, and we were obliged to struggle over the flat but treacherous surface. After a little more trouble we gained the peat, and then the bare slate rock.

A ridge connected this hill with another, distant some miles, and more lofty, so that patches of snow were lying on it. As the day was not far advanced, I determined to walk there and collect plants along the road. It would have been very hard work, had it not been for a well-beaten and straight path made by the guanacos; for these animals, like sheep, always follow the same line. When we reached the hill we found it the highest in the immediate neighbourhood, and the waters flowed to the sea in opposite directions. We obtained a wide view over the surrounding country: to the north a swampy moorland extended, but to the south we had a scene of savage magnificence, well becoming Tierra del Fuego. There was a degree of mysterious grandeur in mountain behind mountain, with the deep intervening valleys, all covered by one thick, dusky mass of forest. The atmosphere, likewise, in this climate, where gale succeeds gale, with rain, hail, and sleet,

distancia nos había parecido una alfombra de hermoso y tupido césped, pero que resultó ser, para fastidio nuestro, una masa compacta de pequeños *Nothofagus* de unos cuatro o cinco pies de altura. Crecían en una masa tan compacta como una ligustrina en los bordes de un jardín, por lo que nos vimos obligados a pasar con mucho trabajo por encima de su superficie plana pero traicionera. Poco después alcanzamos la zona turbosa y finalmente la roca desnuda.

Una loma comunicaba esta colina con otra situada a varias millas de distancia, y que era más alta que la primera ya que en parte estaba cubierta por la nieve. Como el día no estaba todavía muy avanzado, decidí dirigirme hacia allí y recoger plantas en el camino. La empresa hubiese sido muy dificultosa de no haber encontrado una senda abierta por los guanacos; estos animales, lo mismo que las ovejas, siempre siguen el mismo camino. Cuando llegamos a la cumbre de la otra colina, descubrimos que era el punto más elevado de las proximidades y que desde allí varias corrientes de agua se deslizaban en direcciones opuestas hacia el mar. El panorama que se distinguía era muy extenso: hacia el norte se veía una zona pantanosa y hacia el sur, por el contrario, el paisaje era salvaje y magnífico, digno de su nombre "Tierra del Fuego". Había una especie de misteriosa grandeza en la serie de montañas separadas por profundos valles, cubiertos, lo mismo que las montañas, por una densa masa de bosques. De igual forma, la atmósfera -en este clima en el que se suceden los temporales de lluvia, granizo y aguanieve- tiene un aspecto más sombrío que en otros lugares. En el Estrecho de Magallanes, si se mira en dirección a Port Famine, los valles lejanos situados

seems blacker than anywhere else. *In the Strait of Magellan looking due southward from Port Famine, the distant channels between the mountains appeared from their gloominess to lead beyond the confines of this world.*

DECEMBER 21st
The Beagle *got under way: and on the succeeding day, favoured to an uncommon degree by a fine easterly breeze, we closed in with the Barnevelts, and running past Cape Deceit with its stony peaks, about three o'clock doubled the weather-beaten Cape Horn. The evening was calm and bright, and we enjoyed a fine view of the surrounding isles. Cape Horn, however, demanded his tribute, and before night sent us a gale of wind directly in our*

entre las montañas parecen encontrarse más allá de los confines del mundo, debido a su lobreguez.

21 DE DICIEMBRE

El *Beagle* se preparó para zarpar. Al día siguiente, favorecidos de manera inusual por una agradable brisa de Levante, pasamos por las Barnevelts, dejamos atrás Cabo Deceit, con sus picos pétreos y alrededor de las tres de la tarde, doblamos el Cabo de Hornos. El anochecer fue tranquilo y claro, y pudimos disfrutar del espectáculo de las islas vecinas. Sin embargo, el Cabo de Hornos no podía dejar de exigir su tributo y antes de llegar la noche, nos envió un ramalazo de viento muy fuerte.

teeth. We stood out to sea, and on the second day again made the land, when we saw on our weather-bow this notorious promontory in its proper form veiled in a mist, and its dim outline surrounded by a storm of wind and water. Great black clouds were rolling across the heavens, and squalls of rain, with hail, swept by us with such extreme violence, that the Captain determined to run into Wigwam Cove. This is a snug little harbour, not far from Cape Horn; and here, at Christmas-eve, we anchored in smooth water. The only thing which reminded us of the gale outside, was every now and then a puff from the mountains, which made the ship surge at her anchors.

Cabo de Hornos - *Cape Horn*

Nos dirigimos hacia alta mar y al día siguiente, cuando nos encaminábamos de nuevo hacia tierra, vimos que el famoso promontorio ofrecía su típico y tan temido aspecto: estaba cubierto de niebla y a su alrededor se había desencadenado una tormenta de viento y lluvia. Rodaban por el cielo enormes nubarrones negros, y cayeron sobre nosotros violentas ráfagas de lluvia mezclada con granizo de modo que el capitán decidió poner rumbo hacia la caleta Wigwam para guarecernos en ella. Este lugar es un pequeño puerto cercano a Cabo de Hornos y allí, en vísperas de Navidad, pudimos anclar en aguas tranquilas. Lo único que nos recordaba la tormenta exterior eran algunas ráfagas de viento, procedentes de la montaña, que movían el barco.

25 DE DICIEMBRE

Al lado de la caleta se levanta una colina puntiaguda, llamada Pico de Kater, que alcanza una altura de unos 1.700 pies. Las islas de los alrededores están formadas por masas cónicas de rocas ígneas verdosas asociadas a veces con colinas de formas menos regulares, de pizarra arcillosa endurecida y alterada. Esta parte de Tierra del Fuego puede considerarse como el extremo de la cadena montañosa sumergida a que me he referido antes. La caleta Wigwam toma su nombre de un determinado tipo de viviendas propias de los fueguinos, pero todas las bahías de las proximidades podrían recibir este nombre con los mismos merecimientos. Los nativos, que se alimentan principalmente de mariscos, se ven obligados a cambiar en forma constante su lugar de residencia, aunque de vez en cuando vuelven a los mismos sitios, como lo

DECEMBER 25th

Close by the Cove, a pointed hill, called Kater's Peak, rises to the height of 1700 feet. The surrounding islands all consist of conical masses of greenstone, associated sometimes with less regular hills of baked and altered clay-slate. This part of Tierra del Fuego may be considered as the extremity of the submerged chain of mountains already alluded to. The cove takes its name of "Wigwam" from some of the Fuegian habitations; but every bay in the neighbourhood might be so called with equal propriety. The inhabitants, living chiefly upon shell-fish, are obliged constantly to change their place of residence; but they return at intervals to the same spots, as is evident from the piles of old shells, which must often amount to many tons in freight. These heaps can be distinguished at a long distance by the bright green colour of certain plants, which invariably grow on them. Among these may be enumerated the wild celery and scurvy grass, two very serviceable plants, the use of which has not been discovered by the natives.

The Fuegian wigwam resembles, in size and dimensions, a haycock. It merely consists of a few broken branches stuck in the ground, and very imperfectly thatched on one side with a few tufts of grass and rushes. The whole cannot be the work of an hour, and it is only used for a few days. At Goeree Roads I saw a place where one of these naked men had slept, which absolutely offered no more cover than the form of a hare. The man was evidently living by himself, and York Minster said he was "very bad man", and that probably he had stolen something. On the west coast, however, the wigwams are rather better, for they are covered with seal-skins. We were detained here

demuestran los montones de conchas que se encuentran a menudo y que a veces alcanzan pesos de hasta varias toneladas. Estos montones pueden distinguirse a muy larga distancia por el brillante color verde de ciertas plantas que, de manera invariable, crecen en ellos. Entre éstas podemos enumerar el apio silvestre y la coclearia, dos plantas muy útiles que, sin embargo, los nativos no han aprendido todavía a explotar.

El wigwam fueguino se parece por su tamaño y forma a un pajar; consiste simplemente en unas pocas ramas desgajadas, clavadas en el suelo, en las que se entrelazan matas de hierba. Construir un wigwam no exige más que una hora de trabajo, y los nativos los usan sólo por unos días. En paso Goree vi el lugar donde había dormido uno de esos salvajes, que a lo sumo hubiese bastado para dar albergue a una liebre, tan pequeño era. Por lo visto el individuo debía vivir solo y York Minster dijo que con seguridad sería "un hombre muy malo" y que habría robado algo. En cambio, en la costa occidental los wigwams son mejores porque están cubiertos con pieles de foca. El mal tiempo nos obligó a detenernos durante varios días. El clima es realmente pésimo: el solsticio de verano había pasado ya, no obstante, todos los días nevaba en las colinas, y llovía en los valles una mezcla de agua y nieve. El termómetro por lo general marcaba los 45°F, pero por la noche descendía hasta los 38° o 40°F. La humedad de la atmósfera y la absoluta falta de sol nos hacían considerar aquel clima peor de lo que era en realidad.

several days by the bad weather. The climate is certainly wretched: the summer solstice was now passed, yet every day snow fell on the hills, and in the valleys there was rain, accompanied by sleet. The thermometer generally stood about 45 degs., but in the night fell to 38 or 40 degs. From the damp and boisterous state of the atmosphere, not cheered by a gleam of sunshine, one fancied the climate even worse than it really was.

While going one day on shore near Wollaston Island, we pulled alongside a canoe with six Fuegians. These were the most abject and miserable creatures I anywhere beheld. On the east coast the natives, as we have seen, have guanaco cloaks, and on the west they possess seal-skins. Amongst these central tribes the men generally have an otter-skin, or some small scrap about as large as a pocket-handkerchief, which is barely sufficient to cover their backs as low down as their loins. It is laced across the breast by strings, and according as the wind

Cierto día, cuando nos disponíamos a ir a una tierra próxima a la isla Wollaston, nos cruzamos con una canoa tripulada por seis fueguinos que eran las más abyectas y miserables criaturas que se hayan visto jamás. En la costa oriental, como ya hemos dicho, los nativos se cubrían con mantas de guanaco; y en la occidental, con pieles de foca. Los hombres de estas tribus centrales suelen llevar una piel de nutria o cualquier harapo del tamaño de un pañuelo de bolsillo, que apenas les cubre la espalda hasta la altura de la cintura. Suelen llevar esta prenda atada al pecho por medio de bramantes, y el harapo se mueve a un lado y a otro según sopla el viento. Pero los fueguinos de la canoa iban desnudos por completo, incluso una mujer adulta que iba con ellos. Llovía con gran fuerza, y el agua dulce, mezclada con la espuma, corría por sus cuerpos. En otro puerto, no lejos de allí, una mujer que estaba amamantando a un recién nacido se acercó un día a nuestro barco y se detuvo a contemplarlo por simple curiosidad, en tanto que el aguanieve caía sobre su pecho desnudo y sobre la piel del pequeño, también desnudo. Estos pobres seres, de disminuido desarrollo corporal, se presentan con sus rostros horrendos cubiertos por pintura blanca y su cabello enmarañado y áspero. Sus voces son discordantes y sus gestos violentos. A la vista de tales seres, es difícil comprender que se trate de hermanos nuestros, que viven en el mismo mundo que nosotros. A menudo constituye el tema de interesantes discusiones qué clase de placer pueden encontrar en la vida los animales inferiores. ¡Cuánto más razonable sería hacerse esta pregunta con referencia a estos bárbaros! Por la

blows, it is shifted from side to side. But these Fuegians in the canoe were quite naked, and even one full-grown woman was absolutely so. It was raining heavily, and the fresh water, together with the spray, trickled down her body. In another harbour not far distant, a woman, who was suckling a recently-born child, came one day alongside the vessel, and remained there out of mere curiosity, whilst the sleet fell and thawed on her naked bosom, and on the skin of her naked baby! These poor wretches were stunted in their growth, their hideous faces bedaubed with white paint, their skins filthy and greasy, their hair entangled, their voices discordant, and their gestures violent. Viewing such men, one can hardly make one's self believe that they are fellow-creatures, and inhabitants of the same world. It is a common subject of conjecture what pleasure in life some of the lower animals can enjoy: how much

noche, cinco o seis seres humanos, desnudos y apenas protegidos de la acción del viento y la lluvia de ese clima tormentoso, duermen sobre el húmedo suelo, arrollados sobre sí mismos como animales. Cuando baja la marea, ya sea en invierno o en verano, de noche o de día, tienen que levantarse para recoger cuantos mariscos puedan encontrar en las rocas. Las mujeres, por su parte, se dedican a recoger huevos marinos o, sentadas con paciencia en sus canoas, pescan con cebo pero sin anzuelo, pececillos miserables. Si alguien consigue matar una foca o si se descubre el cuerpo putrefacto de una ballena flotando a la deriva, ello constituye un verdadero festín para los nativos, quienes comen con gran placer el miserable alimento acompañado con algunas insípidas bayas u hongos.

A menudo sufren hambrunas. Mr. Low, patrón de un barco que se dedicaba a la caza de focas -por lo tanto muy conocedor de los indios de esta tierra- me comentó el caso de 150 nativos de la costa occidental que estaban muy delgados y en gran penuria. Una serie de tormentas encadenadas una con otra había impedido a las mujeres recoger mariscos de las rocas, en tanto que los hombres no podían salir en sus canoas para cazar focas. Una mañana, un pequeño grupo de hombres salió a la mar y los otros indios le dijeron a Low que iban en un viaje de cuatro días en busca de comida. A su regreso, Low fue a su encuentro y los encontró casi exhaustos; cada uno de los hombres llevaba sobre sus hombros un enorme pedazo de pútrida grasa de ballena, con un agujero en medio por donde pasaba la cabeza, de la misma manera que los gauchos llevan sus ponchos o mantas. En cuanto el pedazo de

more reasonably the same question may be asked with respect to these barbarians! At night, five or six human beings, naked and scarcely protected from the wind and rain of this tempestuous climate, sleep on the wet ground coiled up like animals. Whenever it is low water, winter or summer, night or day, they must rise to pick shellfish from the rocks; and the women either dive to collect sea-eggs, or sit patiently in their canoes, and with a baited hair-line without any hook, jerk out little fish. If a seal is killed, or the floating carcass of a putrid whale is discovered, it is a feast; and such miserable food is assisted by a few tasteless berries and fungi.

They often suffer from famine: I heard Mr. Low, a sealing-master intimately acquainted with the natives of this country, give a curious account of the state of a party of one hundred and fifty natives on

grasa entraba en un wigwam, un anciano lo cortaba en trocitos pequeños, y, murmurando en voz baja ciertas palabras, los asaba un minuto y los repartía entre los hambrientos, quienes, mientras tanto, guardaban un profundo silencio. Mr. Low cree que cuando llega una ballena muerta a la costa, los nativos entierran grandes trozos del animal en la arena como recurso para el caso de una hambruna; un muchacho nativo que llevaba a bordo, un día encontró una de estas reservas enterradas. Cuando las distintas tribus están en guerra, se vuelven caníbales. Según el testimonio del muchacho a que acabamos de referirnos y de Jemmy Button, no cabe la menor duda de que cuando el hambre los atosiga, en el invierno, matan y devoran a las mujeres ancianas antes que matar a sus perros. El muchacho, cuando Mr. Low le preguntó por qué lo hacían, contestó: "Los perros cazan nutrias y las ancianas, no". El muchacho describió cómo solían matar a las ancianas: las asfixiaban con humo hasta ahogarlas; llegó a imitar los gritos de las víctimas y describió las partes de sus cuerpos que se consideran más delicadas para el paladar. Por muy horrible que sea la muerte de estas mujeres a manos de sus amigos y parientes, es más digno de compasión todavía el terror que experimentan las ancianas de estas tribus cuando el hambre empieza a atormentar a los nativos. Según me han dicho, a menudo intentan escapar a la montaña, pero los hombres las persiguen y las obligan a regresar al matadero al lado de sus propios fogones.

El capitán Fitz Roy no pudo averiguar con certeza si los fueguinos creen decididamente en la vida del más allá. A veces entierran a sus muertos en cuevas y otras veces en los bosques de la montaña,

the west coast, who were very thin and in great distress. A succession of gales prevented the women from getting shell-fish on the rocks, and they could not go out in their canoes to catch seal. A small party of these men one morning set out, and the other Indians explained to him, that they were going a four days' journey for food: on their return, Low went to meet them, and he found them excessively tired, each man carrying a great square piece of putrid whale's-blubber with a hole in the middle, through which they put their heads, like the Gauchos do through their ponchos or cloaks. As soon as the blubber was brought into a wigwam, an old man cut off thin slices, and muttering over them, broiled them for a minute, and distributed them to the famished party, who during this time preserved a profound silence. Mr. Low believes that whenever a whale is cast on shore, the natives bury large pieces of it in the sand, as a resource in time of famine; and a native boy, whom he had on board, once found a stock thus buried. The different tribes when at war are cannibals. From the concurrent, but quite independent evidence of the boy taken by Mr. Low, and of Jemmy Button, it is certainly true, that when pressed in winter by hunger, they kill and devour their old women before they kill their dogs: the boy, being asked by Mr. Low why they did this, answered, "Doggies catch otters, old women no". This boy described the manner in which they are killed by being held over smoke and thus choked; he imitated their screams as a joke, and described the parts of their bodies which are considered best to eat. Horrid as such a death by the hands of their friends and relatives must be, the fears of the old

pero no sabemos qué ceremonias llevan a cabo. Jemmy Button no quería comer aves terrestres, porque "comen hombres muertos". Los nativos ni siquiera se atreven a mencionar a sus amigos muertos. No tenemos motivo alguno para creer que celebren ritos religiosos, aunque tal vez los murmullos del anciano antes de distribuir la grasa pútrida a su familia hambrienta puedan tener este carácter. Cada familia o tribu tiene un mago o brujo cuyas funciones no hemos podido averiguar con certeza. Jemmy creía en los sueños y en cambio, como ya he dicho, no creía en el Diablo; a mi parecer, nuestros fueguinos no eran mucho más supersticiosos que algunos de los marineros; por ejemplo un viejo contramaestre creía con firmeza que las sucesivas tormentas que habíamos encontrado en Cabo de Hornos se debían al hecho de llevar fueguinos a bordo. Lo más aproximado a un sentimiento religioso que pude observar en ellos, fue la reacción de York Minster, quien, cuando Mr. Bynoe mató a unos patitos que deseaba apresar para su colección, declaró con gran solemnidad: "¡Ah, Mr. Bynoe, mucha lluvia, nieve, viento mucho!". Resultaba evidente que creía que aquel despilfarro de comida debía recibir el correspondiente castigo. York Minster explicaba también con gran excitación, que su hermano, cierto día, cuando volvió para recoger unos pájaros muertos que había dejado en la costa, observó que algunas plumas volaban en alas del viento. Su hermano dijo (y York imitó su voz): "¿Qué es esto?", y arrastrándose por el suelo se asomó por el acantilado y vio "a un salvaje", que estaba desplumando a sus pájaros; entonces le arrojó una enorme piedra y lo

women, when hunger begins to press, are more painful to think of; we are told that they then often run away into the mountains, but that they are pursued by the men and brought back to the slaughterhouse at their own firesides!

Captain Fitz Roy could never ascertain that the Fuegians have any distinct belief in a future life. They sometimes bury their dead in caves, and sometimes in the mountain forests; we do not know what ceremonies they perform. Jemmy Button would not eat land-birds, because "eat dead men": they are unwilling even to mention their dead friends. We have no reason to believe that they perform any sort of religious worship; though perhaps the muttering of the old man before he distributed the putrid blubber to his famished party, may be of this nature. Each family or tribe has a wizard or conjuring doctor, whose office we could never clearly ascertain. Jemmy believed in dreams, though not, as I have said, in the devil: I do not think that our Fuegians were much more superstitious than some of the sailors; for an old quartermaster firmly believed that the successive heavy gales, which we encountered off Cape Horn, were caused by our having the Fuegians on board. The nearest approach to a religious feeling which I heard of, was shown by York Minster, who, when Mr. Bynoe shot some very young ducklings as specimens, declared in the most solemn manner, "Oh, Mr. Bynoe, much rain, snow, blow much". This was evidently a retributive punishment for wasting human food. In a wild and excited manner he also related, that his brother, one day whilst returning to pick up some dead birds which he had left on the coast, observed some feathers blown by

mató. York afirmó que durante mucho tiempo después hubo fuertes tormentas, llovió y nevó con gran abundancia. Por lo que pudimos adivinar, al parecer consideraba que los agentes vengadores eran los propios elementos: de ahí es fácil comprender que las razas de cultura un poco más adelantada lleguen a personificar los elementos. Siempre será un misterio para mí qué quiso decir York con la expresión "un salvaje". Por lo que dijo el mismo York cuando encontramos aquel diminuto refugio en la montaña -donde había dormido un hombre solo la noche anterior- me incliné a pensar que debió referirse a algún ladrón expulsado por esa causa de su tribu. Pero después se refirió al mismo tema en otros términos que me hicieron dudar de esta interpretación; más de una vez he pensado que la explicación más probable es que se refería a un loco.

Las diversas tribus no tienen gobierno ni jefe; sin embargo, cada una de ellas está rodeada por otras tribus hostiles que hablan dialectos diferentes y de las que sólo las separan zonas desérticas o territorios neutrales; el único motivo de las guerras entre ellas es la necesidad de encontrar medios de subsistencia. Su tierra consiste en una escarpada masa de rocas salvajes, altas colinas y bosques muy densos, todo esto visible a través de nieblas y tormentas interminables. La superficie habitable se reduce a las piedras de la playa; para encontrar alimento se ven obligados a vagar en forma incesante de un lado a otro, y la costa es tan abrupta que sólo pueden trasladarse por medio de sus canoas. No conocen el placer de poseer un hogar y menos aún la vida doméstica, porque la relación entre marido y mujer es la que existe entre un

the wind. His brother said (York imitating his manner), "What that?" and crawling onwards, he peeped over the cliff, and saw "wild man" picking his birds; he crawled a little nearer, and then hurled down a great stone and killed him. York declared for a long time afterwards storms raged, and much rain and snow fell. As far as we could make out, he seemed to consider the elements themselves as the avenging agents: it is evident in this case, how naturally, in a race a little more advanced in culture, the elements would become personified. What the "bad wild men" were, has always appeared to me most mysterious: from what York said, when we found the place like the form of a hare, where a single man had slept the night before, I should have thought that they were thieves who had been driven from their tribes; but other obscure speeches made me doubt this; I have sometimes imagined that the most probable explanation was that they were insane.

The different tribes have no government or chief; yet each is surrounded by other hostile tribes, speaking different dialects, and separated from each other only by a deserted border or neutral territory: the cause of their warfare appears to be the means of subsistence. Their country is a broken mass of wild rocks, lofty hills, and useless forests: and these are viewed through mists and endless storms. The habitable land is reduced to the stones on the beach; in search of food they are compelled unceasingly to wander from spot to spot, and so steep is the coast, that they can only move about in their wretched canoes. They cannot know the feeling of having a home, and still less that of domestic affection; for the husband is to the wife a brutal master to a laborious

dueño brutal y un esclavo. ¿Qué acto más horrible puede haberse perpetrado que aquel que presenció Byron en la costa occidental? Vio a una pobre madre recoger el cuerpo sangriento de su hijito moribundo, a quien su marido había arrojado contra las rocas por haber dejado caer un cesto de huevos de mar. No se puede decir que utilizan las más altas facultades intelectuales; ¿qué hay allí para visualizar usando la imaginación, comparar usando la razón o decidir usando el juicio? El poder desalojar una lapa de una roca no requiere siquiera astucia, esa facultad más baja de la mente. Su destreza puede compararse, en algunos aspectos, al instinto de los animales, porque no se basa en la experiencia; sus canoas, que constituyen la más ingeniosa de sus obras, siguen siendo las mismas de los tiempos de Drake, o sea que su forma no ha variado durante los últimos 250 años.

slave. Was a more horrid deed ever perpetrated, than that witnessed on the west coast by Byron, who saw a wretched mother pick up her bleeding dying infant-boy, whom her husband had mercilessly dashed on the stones for dropping a basket of sea-eggs! How little can the higher powers of the mind be brought into play: what is there for imagination to picture, for reason to compare, or judgment to decide upon? to knock a limpet from the rock does not require even cunning, that lowest power of the mind. Their skill in some respects may be compared to the instinct of animals; for it is not improved by experience: the canoe, their most ingenious work, poor as it is, has remained the same, as we know from Drake, for the last two hundred and fifty years.

Whilst beholding these savages, one asks, whence have they come? What could have tempted, or what change compelled a tribe of men, to leave the fine regions of the north, to travel down the Cordillera or backbone of America, to invent and build canoes, which are not used by the tribes of Chile, Peru, and Brazil, and then to enter on one of the most inhospitable countries within the limits of the globe? Although such reflections must at first seize on the mind, yet we may feel sure that they are partly erroneous. There is no reason to believe that the Fuegians decrease in number; therefore we must suppose that they enjoy a sufficient share of happiness, of whatever kind it may be, to render life worth having. Nature by making habit omnipotent, and its effects hereditary, has fitted the Fuegian to the climate and the productions of his miserable country.

After having been detained six days in Wigwam Cove by very bad weather, we put to sea on the 30th

Al contemplar a estos salvajes, no puede uno menos que preguntarse de dónde proceden. ¿Qué pudo haber inclinado u obligado a un grupo de hombres a abandonar las agradables regiones del norte, atravesar la cordillera o espina dorsal de América, idear y construir canoas que no se usan entre las tribus de Chile, Perú o Brasil, y establecerse en uno de los territorios menos hospitalarios del globo? Tales reflexiones, al principio, hacen presa de nuestra mente, aunque podemos estar seguros de que en parte son erróneas. No existe razón alguna para creer que los fueguinos decrecen en número; de ello es preciso deducir que a su manera disfrutan de la vida y que algo deben de hallar en ella que la hace digna de ser vivida. La naturaleza, concediendo un poder omnipotente a la costumbre y haciendo hereditarios sus efectos, ha adaptado al fueguino al clima y a los productos de su miserable tierra.

Después de permanecer durante seis días en la caleta Wigwam debido al mal tiempo, nos hicimos a la mar el día 30 de diciembre. El capitán Fitz Roy deseaba dirigirse hacia el oeste para dejar a York y Fuegia en su propia tierra, pero una vez en el mar abierto sufrimos una serie inacabable de tormentas y además una corriente contraria, y fuimos arrastrados hasta los 57º 23 minutos, hacia el sur. Navegando a toda vela, llegamos el 11 de enero de 1833 a pocas millas del enorme y escarpado cerro York Minster (llamado así por el capitán Cook). De pronto, una violenta y súbita tempestad nos obligó a achicar velas y a permanecer en alta mar. Las olas rompían con gran fragor en la costa, y la espuma sobrepasaba un acantilado de unos 200 pies de

of December. Captain Fitz Roy wished to get westward to land York and Fuegia in their own country. When at sea we had a constant succession of gales, and the current was against us: we drifted to 57 degs. 23' south. On the 11th of January, 1833, by carrying a press of sail, we fetched within a few miles of the great rugged mountain of York Minster (so called by Captain Cook, and the origin of the name of the elder Fuegian), when a violent squall compelled us to shorten sail and stand out to sea. The surf was breaking fearfully on the coast, and the spray was carried over a cliff estimated to 200 feet in height. On the 12th the gale was very heavy, and we did not know exactly where we were: it was a most unpleasant sound to hear constantly repeated, "keep a good look-out to leeward". On the 13th the storm raged with its full fury: our horizon was narrowly limited by the sheets of spray borne by the wind. The sea looked ominous, like a dreary waving plain with patches of drifted snow: whilst the ship laboured heavily, the albatross glided with its expanded wings right up the wind. At noon a great sea broke over us, and filled one of the whale boats, which was obliged to be instantly cut away. The poor Beagle trembled at the shock, and for a few minutes would not obey her helm; but soon, like a good ship that she was, she righted and came up to the wind again. Had another sea followed the first, our fate would have been decided soon, and for ever. We had now been twenty-four days trying in vain to get westward; the men were worn out with fatigue, and they had not had for many nights or days a dry thing to put on. Captain Fitz Roy gave up the attempt to get westward by the outside coast. In the evening

altura. El día 12 la tormenta aumentó, y ya no sabíamos con exactitud dónde nos encontrábamos; llegó a hacerse desagradable oír de manera constante esta frase: "Estén atentos a sotavento". El día 13 la tormenta llegó a su apogeo; la visibilidad estaba muy limitada por las cortinas de espuma levantadas por el viento. El mar tenía un aspecto ominoso, se veía como una lúgubre planicie ondulante con manchones de nieve formando ventisqueros. Mientras el navío avanzaba trabajosamente, el albatros se deslizaba por el cielo con las alas extendidas, de cara al viento. A mediodía, una ola enorme cayó sobre el barco y llenó uno de los botes balleneros, del cual tuvimos que desprendernos enseguida. El pobre *Beagle* tembló al acusar el golpe y por unos minutos se negó a obedecer al timón, pero pronto, como buen navío que era, se enderezó y se puso de nuevo al viento. Si a la primera oleada hubiese sucedido otra de inmediato, nuestro destino se habría sellado pronto, y para siempre.

Llevábamos ya 24 días intentando en vano dirigirnos hacia el oeste; los hombres estaban exhaustos y no había en el barco un solo lugar seco donde poder acostarse. El capitán Fitz Roy abandonó su propósito de dirigirse hacia el oeste por la costa exterior. Por la noche nos refugiamos tras el falso Cabo de Hornos y anclamos en un fondeadero de 47 brazas; la cadena del ancla, al pasar por el malacate, echó verdaderas chispas. ¡Qué delicia fue para todos nosotros aquella noche de reposo después de haber pasado tanto tiempo en medio del torbellino de los elementos enfurecidos!

we ran in behind False Cape Horn, and dropped our anchor in forty-seven fathoms, fire flashing from the windlass as the chain rushed round it. How delightful was that still night, after having been so long involved in the din of the warring elements!

JANUARY 15th, 1833
The Beagle anchored in Goeree Roads. Captain Fitz Roy having resolved to settle the Fuegians, according to their wishes, in Ponsonby Sound, four boats were equipped to carry them there through the Beagle Channel. This channel, which was discovered by Captain Fitz Roy during the last voyage, is a most remarkable feature in the geography of this, or indeed of any other country: it may be compared to the valley of Lochness in Scotland, with its chain of lakes and friths. It is about one hundred and twenty miles long, with an average breadth, not subject to any very great variation, of about two miles; and is throughout the greater part so perfectly straight, that the view, bounded on each side by a line of mountains, gradually becomes indistinct in the long distance. It crosses the southern part of Tierra del Fuego in an east and west line, and in the middle is joined at right angles on the south side by an irregular channel, which has been called Ponsonby Sound. This is the residence of Jemmy Button's tribe and family.

JANUARY 19th
Three whale-boats and the yawl, with a party of twenty-eight, started under the command of Captain Fitz Roy. In the afternoon we entered the eastern mouth of the channel, and shortly afterwards found a snug little cove concealed by some

El *Beagle* echó anclas en el paso Goeree. El capitán Fitz Roy había decidido desembarcar a los fueguinos, de acuerdo con sus deseos, en el Estrecho de Ponsonby, así que equipamos cuatro botes para conducirlos allí a través del Canal Beagle. Este canal, que fue descubierto por el capitán Fitz Roy durante su último viaje, es de lo más curioso que puede verse en aquella tierra; se lo puede comparar con el valle de Loch Ness, de Escocia, con su cadena de lagos y estuarios. Tiene unas 120 millas de largo, y una anchura media -sujeta a pocas variaciones- de unas dos millas. Es tan recto que la vista, limitada a cada lado por una cadena de montañas, se pierde gradualmente en lontananza. Atraviesa la parte meridional de Tierra del Fuego en dirección este-oeste, y hacia la mitad de su curso se le une por la orilla meridional un canal irregular que ha recibido el nombre de Estrecho de Ponsonby. En aquel lugar residen la tribu y la familia de Jemmy Button.

19 DE ENERO

Bajo el mando del capitán Fitz Roy, partieron tres botes balleneros y la balandra, con una tripulación de 28 hombres. Por la tarde penetramos por la boca oriental del canal, y poco después encontramos una pequeña bahía cerrada por varios islotes. Allí armamos nuestras tiendas y encendimos nuestros fuegos. El lugar era de lo más confortable. El agua cristalina del pequeño puerto, las ramas de los árboles que colgaban sobre la playa rocosa, los botes anclados, las tiendas sostenidas por los remos cruzados, y el humo elevándose por el valle boscoso, formaban

surrounding islets. Here we pitched our tents and lighted our fires. Nothing could look more comfortable than this scene. The glassy water of the little harbour, with the branches of the trees hanging over the rocky beach, the boats at anchor, the tents supported by the crossed oars, and the smoke curling up the wooded valley, formed a picture of quiet retirement. The next day (20th) we smoothly glided onwards in our little fleet, and came to a more inhabited district. Few if any of these natives could ever have seen a white man; certainly nothing could exceed their astonishment at the apparition of the four boats. Fires were lighted on every point (hence the name of Tierra del Fuego, or the land of fire), both to attract our attention and to spread far and wide the news. Some of the men ran for miles along the shore. I shall never forget how wild and savage one group appeared: suddenly four or five men came to the edge of an overhanging cliff; they were absolutely naked, and their long hair streamed about their faces; they held rugged staffs in their hands, and, springing from the ground, they waved their arms round their heads, and sent forth the most hideous yells.

At dinner-time we landed among a party of Fuegians. At first they were not inclined to be friendly; for until the Captain pulled in ahead of the other boats, they kept their slings in their hands. We soon, however, delighted them by trifling presents, such as tying red tape round their heads. They liked our biscuit: but one of the savages touched with his finger some of the meat preserved in tin cases which I was eating, and feeling it soft and cold, showed as much disgust at it, as I should have done at putrid blubber. Jemmy was thoroughly ashamed of his countrymen,

un cuadro de apacible retiro. El día siguiente (el 20), nuestra flotilla siguió avanzando sin problemas y llegamos a un distrito más habitado. Pocos de aquellos indígenas habrían visto anteriormente hombres de raza blanca; su asombro al ver llegar nuestros cuatro botes fue inenarrable. En todas las cimas se encendieron fogatas (por eso se llama a aquella comarca Tierra del Fuego), con el doble fin de llamar nuestra atención y de dar aviso de nuestra llegada a las demás tribus. Algunos de los indígenas corrieron a lo largo de la costa durante varias millas. Nunca olvidaré el aspecto salvaje y sombrío de uno de aquellos grupos. De repente, cuatro o cinco hombres se asomaron al borde de un acantilado; iban totalmente desnudos y sus largos y ásperos cabellos les caían alrededor de sus caras. Palos rústicos en mano, brincaban y agitaban los brazos en torno a la cabeza, lanzando gritos espeluznantes.

A la hora de comer, desembarcamos entre un grupo de fueguinos. Al inicio no parecían dispuestos a entablar amistad con nosotros, pues mantenían sus hondas a mano hasta que el capitán se puso al frente de los otros botes. Sin embargo, pronto los conquistamos por medio de unos regalos insignificantes, tales como unas cintas rojas que atamos alrededor de sus cabezas. Nuestro bizcocho les encantó; en cambio, uno de los salvajes tocó con un dedo un poco de carne en conserva que yo estaba comiendo y, al notar que estaba blanda y fría, hizo una mueca de asco, como la hubiese hecho yo tratándose de un pedazo de grasa putrefacta. Jemmy se mostró avergonzado de sus paisanos y afirmó que su tribu era muy diferente, en lo cual se equivocaba de manera absoluta. De la misma forma que

and declared his own tribe were quite different, in which he was wofully mistaken. It was as easy to please as it was difficult to satisfy these savages. Young and old, men and children, never ceased repeating the word "yammerschooner", which means "give me"*. After pointing to almost every object, one after the other, even to the buttons on our coats, and saying their favourite word in as many intonations as possible, they would then use it in a neuter sense, and vacantly repeat "yammerschooner". After yammerschoonering for any article very eagerly, they would by a simple artifice point to their young women or little children, as much as to say, "If you will not give it me, surely you will to such as these". At night we endeavoured in vain to find an uninhabited cove; and at last were obliged to bivouac not far from a party of natives. They were very inoffensive as long as they were few in numbers, but in the morning (21st) being joined by others they showed symptoms of hostility, and we thought that we should have come to a skirmish. An European labours under great disadvantages when treating with savages like these, who have not the least idea of the power of fire-arms. In the very act of levelling his musket he appears to the savage far inferior to a man armed with a bow and arrow, a spear, or even a sling. Nor is it easy to teach them our superiority except by striking a fatal blow. Like wild beasts, they do not appear to compare numbers; for each individual, if attacked, instead of retiring, will endeavour to dash your brains out with a stone, as certainly as a tiger under similar circumstances would tear you. Captain Fitz Roy on one occasion being very anxious, from good reasons, to frighten away a small party,

conquistarse la simpatía de aquellos salvajes resultó ser fácil, satisfacer sus ansias de posesión fue difícil. Todos, hombres y mujeres, jóvenes y viejos, pronunciaban sin cesar la palabra "yammerschooner", que significa "dame"*. Luego de señalar casi cualquier objeto, uno tras otro, incluso los botones de nuestros abrigos, diciendo cada vez su palabra favorita en todos los tonos posibles, la usaban en un sentido neutro, repitiendo desganadamente "yammerschooner". Luego de "yammerschoonear" cualquier artículo vivamente, recurrían al artificio de señalar a su esposa o hijos, como queriendo decir: "_Si no quieres dármelo a mí, tal vez quieras dárselo a ellos". Por la noche intentamos en vano encontrar una caleta deshabitada, y al final nos vimos obligados a pernoctar cerca de un grupo de nativos. Estos se veían totalmente inofensivos mientras fueron pocos en número; pero a la mañana siguiente (día 21), al llegar más empezaron a mostrar una actitud hostil y pensamos que tendríamos que pelear. Un europeo se encuentra en gran desventaja cuando debe tratar con salvajes como aquellos, que no tienen la menor idea acerca del poder de las armas de fuego. Cuando los apunta con su mosquete, les parece muy inferior a un hombre armado con un arco y flecha, una lanza o hasta una honda.

Tampoco es fácil enseñarles nuestra superioridad si no les damos un golpe fatal. Lo mismo que los animales salvajes, al parecer no toman jamás en consideración la diferencia numérica de las fuerzas combatientes. Si un grupo de europeos ataca a un individuo solitario, éste, en lugar de retirarse, se lanza sobre el grupo, dispuesto a partirle la cabeza

first flourished a cutlass near them, at which they only laughed; he then twice fired his pistol close to a native. The man both times looked astounded, and carefully but quickly rubbed his head; he then stared awhile, and gabbled to his companions, but he never seemed to think of running away. We can hardly put ourselves in the position of these savages, and understand their actions. In the case of this Fuegian, the possibility of such a sound as the report of a gun close to his ear could never have entered his mind. He perhaps literally did not for a second know whether it was a sound or a blow, and therefore very naturally rubbed his head. In a similar manner, when a savage sees a mark struck by a bullet, it may be some time before he is able at all to understand how it is effected; for the fact of a body being invisible from its velocity would perhaps be to him an idea totally inconceivable. Moreover, the extreme force of a bullet, that penetrates a hard substance without tearing it, may convince the savage that it has no force at all. Certainly I believe that many savages of the lowest grade, such as these of Tierra del Fuego, have seen objects struck, and even small animals killed by the musket, without being in the least aware how deadly an instrument it is.

JANUARY 22nd

After having passed an unmolested night, in what would appear to be neutral territory between Jemmy's tribe and the people whom we saw yesterday, we sailed pleasantly along. I do not know anything which shows more clearly the hostile state of the different tribes, than these wide border or neutral tracts. Although Jemmy Button well knew the force

* Según el reverendo Bridges de Ushuaia significa "Sé amable conmigo". (N. del E.)

a cualquiera con una piedra, igual que un tigre lo haría en circunstancias similares.

En cierta ocasión, el capitán Fitz Roy deseaba, por muy buenos motivos, asustar a un pequeño grupo de indígenas para que se marcharan. Primero esgrimió un sable de abordaje cerca de ellos, y todo lo que consiguió fue verlos echarse a reír; luego disparó dos veces seguidas un revólver junto a uno de los nativos. Este lo miró asombrado las dos veces; se rascó la cabeza y comentó lo ocurrido con sus compañeros; todo menos ocurrírsele ponerse a correr. Para nosotros resulta difícil ponernos en el lugar de esos salvajes y comprender sus reacciones. En el caso de ese fueguino, la posibilidad del sonido producido por un arma de fuego no podía entrar en su cabeza. Incluso es posible que por un momento no supiera si se había tratado de un sonido o de un soplo, y por eso se rascó la cabeza. De la misma manera, cuando un salvaje ve una huella dejada por una bala, tarda bastante en comprender a qué se debe, porque el hecho de que un cuerpo se haga invisible por el solo efecto de su velocidad, es una idea totalmente inconcebible para él. Además, el hecho de que la bala pueda penetrar en un objeto duro sin desgarrarlo, le da la sensación de que no puede llevar mucha fuerza. Estoy seguro de que muchos salvajes, de las tribus inferiores desde luego, ven muchos objetos agujereados e incluso animales muertos por un mosquete sin llegar a convencerse de lo mortífera que es esta arma.

22 DE ENERO

Después de pasar una noche apacible en un lugar que al parecer era la tierra de nadie, entre la

of our party, he was, at first, unwilling to land amidst the hostile tribe nearest to his own. He often told us how the savage Oens men "when the leaf red", crossed the mountains from the eastern coast of Tierra del Fuego, and made inroads on the natives of this part of the country. It was most curious to watch him when thus talking, and see his eyes gleaming and his whole face assume a new and wild expression. As we proceeded along the Beagle Channel, the scenery assumed a peculiar and very magnificent character; but the effect was much lessened from the lowness of the point of view in a boat, and from looking along the valley, and thus losing all the beauty of a succession of ridges. The mountains were here about three thousand feet high, and terminated in sharp and jagged points. They rose in one unbroken sweep from the water's edge, and were covered to the height of fourteen or fifteen hundred feet by the dusky- coloured forest. It was most curious to observe, as far as the eye could range, how level and truly horizontal the line on the mountain side was, at which trees ceased to grow: it precisely resembled the high-water mark of drift-weed on a sea-beach.

At night we slept close to the junction of Ponsonby Sound with the Beagle Channel. A small family of Fuegians, who were living in the cove, were quiet and inoffensive, and soon joined our party round a blazing fire. We were well clothed, and though sitting close to the fire were far from too warm; yet these naked savages, though further off, were observed, to our great surprise, to be streaming with perspiration at undergoing such a roasting. They seemed, however, very well pleased, and all

tribu de Jemmy y la que encontramos ayer, seguimos navegando sin dificultad. La gran extensión de terreno neutral que separa a esas tribus demuestra la hostilidad que existe entre ellas. Aunque Jemmy Button no ignoraba nuestra fuerza, al principio no deseaba desembarcar en los dominios de la tribu vecina de la suya. A menudo nos contaba cómo los salvajes Oens, "cuando las hojas se vuelven rojas", atraviesan las montañas desde la costa oriental de Tierra del Fuego y realizan incursiones entre los nativos de esta parte del territorio. Era curioso observar cómo le brillaban los ojos cuando hablaba de esas cosas, mientras su rostro asumía una expresión salvaje hasta entonces desconocida para nosotros.

A medida que nos internábamos por el Canal Beagle, el paisaje resultaba cada vez más espléndido, aunque el espectáculo perdía parte de su belleza al ser contemplado desde el bote bajo y mirando por el valle, lo que nos hizo perdernos toda la belleza de las serranías que se extendían una tras otra. Las montañas de aquella zona tenían una altura de unos 3.000 pies y terminaban en filosos picos dentados. Se levantaban en la misma orilla del agua, y hasta una altura de 1.500 pies estaban cubiertas de bosques. Era curioso observar la horizontalidad de la línea en la que los árboles dejaban de crecer en la ladera de las montañas; parecía la marca que deja la marea alta en la playa. Por la noche dormimos en el punto de confluencia del Estrecho de Ponsonby y el Canal Beagle. En el lugar vivía una pequeña familia de fueguinos callados e inofensivos, cuyos miembros pronto se reunieron con nosotros alrededor de la fogata. Nosotros estábamos bien pertrechados contra el frío pero incluso sentados

joined in the chorus of the seamen's songs: but the manner in which they were invariably a little behindhand was quite ludicrous.

During the night the news had spread, and early in the morning (23rd) a fresh party arrived, belonging to the Tekenika, or Jemmy's tribe. Several of them had run so fast that their noses were bleeding, and their mouths frothed from the rapidity with which they talked; and with their naked bodies all bedaubed with black, white, [1] and red, they looked like so many demoniacs who had been fighting. We then proceeded (accompanied by twelve canoes, each holding four or five people) down Ponsonby Sound to the spot where poor Jemmy expected to find his mother and relatives. He had already heard that his father was dead; but as he had had a "dream in his head" to that effect, he did not seem to care much about it, and repeatedly comforted himself with the very natural reflection — "Me no help it". He was not able to learn any particulars regarding his father's death, as his relations would not speak about it.

Jemmy was now in a district well known to him, and guided the boats to a quiet pretty cove named Woollya, surrounded by islets, every one of which and every point had its proper native name. We found here a family of Jemmy's tribe, but not his relations: we made friends with them; and in the evening they sent a canoe to inform Jemmy's mother and brothers. The cove was bordered by some acres of good sloping land, not covered (as elsewhere)

[1] *This substance, when dry, is tolerably compact, and of little specific gravity: Professor Ehrenberg has examined it: he states (Konig Akad. der Wissen: Berlin, Feb. 1845) that it is composed of* infusoria, *including fourteen* polygastrica, *and four* phytolitharia. *He says that they are all inhabitants of fresh-water; this is a beautiful example of the results obtainable through Professor Ehrenberg's microscopic researches; for Jemmy Button told me that it is always collected at the bottoms of mountain-brooks. It is, moreover, a striking fact that in the geographical distribution of the* infusoria, *which are well known to have very wide ranges, that all the species in this substance, although brought from the extreme southern point of Tierra del Fuego, are old, known forms.*

cerca del fuego no sentíamos demasiado el calor. En cambio, vimos que los salvajes desnudos, que estaban algo apartados del fuego, sudaban a mares como si estuvieran a punto de asarse. Sin embargo, estaban contentos y satisfechos y hasta se unieron al coro de los marineros, pero la forma en que cantaban retrasados daba risa. Durante la noche corrió la noticia de nuestra llegada y a la madrugada siguiente (día 23) vino un nuevo grupo, que pertenecía a la tribu Teknika, la tribu de Jemmy. Varios de ellos habían corrido con tanta velocidad que les sangraba la nariz y de sus bocas salía espuma por la rapidez con que hablaban. Con sus cuerpos desnudos

either by peat or by forest-trees. Captain Fitz Roy originally intended, as before stated, to have taken York Minster and Fuegia to their own tribe on the west coast; but as they expressed a wish to remain here, and as the spot was singularly favourable, Captain Fitz Roy determined to settle here the whole party, including Matthews, the missionary. Five days were spent in building for them three large wigwams, in landing their goods, in digging two gardens, and sowing seeds.

The next morning after our arrival (the 24th) the Fuegians began to pour in, and Jemmy's mother and brothers arrived. Jemmy recognised the stentorian

y pintados de negro, blanco (1) y rojo, parecían un ejército de demonios que venían de pelear. Al poco rato navegábamos, acompañados por doce canoas (en cada una de las cuales cabían cuatro o cinco hombres) por el Estrecho de Ponsonby, hacia el lugar donde el pobre Jemmy esperaba encontrar a su madre y al resto de su familia. Los recién llegados le habían contado que su padre había fallecido, pero por lo visto Jemmy ya había "tenido un sueño" a este propósito y no pareció afectarse demasiado; se limitó a decir, con gran naturalidad: "Yo no poder remediar". Nunca sabría detalles acerca de la muerte de su padre, porque la familia no hablaría jamás de ello.

Ahora Jemmy se encontraba en un distrito que conocía muy bien y guió los botes a una deliciosa caleta llamada Wollya, rodeada de islotes, cada uno de los cuales tenía su propio nombre indígena. Encontramos allí una familia de la misma tribu de Jemmy, pero no eran parientes suyos. Trabamos amistad con ellos, y al atardecer enviaron una canoa para informar a la madre y a los hermanos de Jemmy. La caleta estaba rodeada por varios acres de terreno en declive, donde no crecía bosque. El capitán Fitz Roy, como ya hemos dicho, se proponía acompañar a York Minster y Fuegia a su tierra en la costa occidental, pero como ambos expresaron su deseo de quedarse allí, y el terreno era muy favorable, el capitán decidió establecer allí a todo el grupo, incluyendo al misionero Matthews. Pasamos cinco días construyendo tres grandes wigwams para ellos, descargando comida, y preparando y sembrando dos huertas.

Wulaia - *Wollya*

voice of one of his brothers at a prodigious distance. The meeting was less interesting than that between a horse, turned out into a field, when he joins an old companion. There was no demonstration of affection; they simply stared for a short time at each other; and the mother immediately went to look after her canoe. We heard, however, through York that the mother has been inconsolable for the loss of Jemmy and had searched everywhere for him, thinking that he might have been left after having been taken in the boat. The women took much notice of and were very kind to Fuegia. We had already perceived that Jemmy had almost forgotten his own language. I should think there was scarcely another human being with so small a stock of language, for his English was very imperfect. It was laughable, but almost pitiable, to

(1) En su forma seca, esta sustancia está aceptablemente compacta y de poca gravedad específica. El profesor Ehrenberg, quien la ha examinado, dice (*Konig Akad*. Der Vissen. Berlin. Feb. 1845) que está compuesta por *Infusoria*, que incluyen 14 *Polygastrica* y cuatro *Phytolitharia*. Dice que son todas habitantes de agua dulce. Este es un ejemplo espléndido de los resultados obtenibles a través de las investigaciones hechos con microscopio por el profesor Ehrenberg, pues Jemmy Button me dijo que éstas siempre se han recolectado del fondo de los arroyos de montaña. Es, además, un hecho notable que en la distribución geográfica de las *Infusoria*, que se sabe es muy amplia, son formas antiguas y conocidas, aunque provengan de la punta más distante de Tierra del Fuego.

135

A la mañana siguiente de nuestra llegada (día 24), empezaron a afluir fueguinos de todas partes. Entre ellos llegaron la madre y los hermanos de Jemmy. Jemmy reconoció la voz estentórea de uno de sus hermanos a una distancia prodigiosa, pero el encuentro fue menos emocionante que entre un caballo que, largado al potrero, se encuentra con un viejo compañero. No hubo demostraciones de afecto; se limitaron a mirarse unos a otros un rato; su madre de inmediato fue a vigilar su canoa.

Sin embargo, supimos por York que la pérdida de Jemmy había desconsolado a su madre y que lo había buscado por todas partes, pensando que tal vez quienes se lo llevaron en el barco lo habrían dejado después en tierra. Las mujeres se fijaron mucho en Fuegia y la trataron con mucha consideración. Ya hemos dicho que Jemmy casi había olvidado su lengua; no creo que haya nadie en el mundo con un caudal de vocabulario tan mínimo como el de aquel salvaje "civilizado", porque su inglés era muy imperfecto. Resultaba cómico, por no decir trágico, oírle hablar en inglés a su hermano salvaje, y luego preguntarle en español: "¿No sabe?", cuando se daba cuenta de que no lo entendía.

Los tres días que se emplearon en la construcción de los wigwams transcurrieron pacíficamente. Calculamos que se habían reunido unos 120 indígenas. Las mujeres trabajaban a conciencia mientras los hombres holgazaneaban a nuestro alrededor. Nos pedían todo cuanto veían y robaban lo que podían. Les encantaba vernos bailar y oírnos cantar, y les interesó mucho mirar cómo nos lavábamos en un arroyito próximo; en cambio no prestaban mucha atención a todo lo demás, ni siquiera

hear him speak to his wild brother in English, and then ask him in Spanish ("no sabe?") whether he did not understand him.

Everything went on peaceably during the three next days whilst the gardens were digging and wigwams building. We estimated the number of natives at about one hundred and twenty. The women worked hard, whilst the men lounged about all day long, watching us. They asked for everything they saw, and stole what they could. They were delighted at our dancing and singing, and were particularly interested at seeing us wash in a neighbouring brook; they did not pay much attention to anything else, not even to our boats. Of all the things which York saw, during his absence from his country, nothing seems more to have astonished him than an ostrich, near Maldonado: breathless with astonishment he came running to Mr. Bynoe, with whom he was out walking — "Oh, Mr. Bynoe, oh, bird all same horse!" Much as our white skins surprised the natives, by Mr. Low's account a negro-cook to a sealing vessel, did so more effectually, and the poor fellow was so mobbed and shouted at that he would never go on shore again. Everything went on so quietly that some of the officers and myself took long walks in the surrounding hills and woods. Suddenly, however, on the 27th, every woman and child disappeared. We were all uneasy at this, as neither York nor Jemmy could make out the cause. It was thought by some that they had been frightened by our cleaning and firing off our muskets on the previous evening; by others, that it was owing to offence taken by an old savage, who, when told to keep further off, had coolly spit in the sentry's face, and had then, by gestures

a nuestros botes. De todo cuanto York había visto durante su ausencia de su tierra, lo que más pareció sorprenderlo fue un avestruz que observó cerca de Maldonado; corrió jadeando hacia Mr. Bynoe, con quien estaba paseando, y exclamó: "¡Oh, Mr. Bynoe!, ¡un pájaro igual que un caballo!" Si bien nuestra tez blanca los sorprendió, les impresionó mucho más la piel del cocinero negro de una nave de cazadores de focas. Según nos contó el Sr. Low, tal era el tumulto y griterío que se produjo a su alrededor, que el pobre hombre no quiso ir más a tierra. La tranquilidad y la paz eran tan absolutas que algunos oficiales, y yo con ellos, realizamos algunas excursiones por los bosques y las colinas de las proximidades. Sin embargo, el día 27 todas las mujeres y niños desaparecieron súbitamente. Quedamos perplejos, y ni York ni Jemmy sabían a qué atribuir aquella medida. Algunos pensaron que tal vez se habrían asustado de vernos limpiar nuestras armas de fuego la noche anterior. Otros, que se habría ofendido un anciano a quien un centinela le dijo que se apartara; el viejo escupió tranquilamente en la cara de nuestro hombre y le indicó, por medio de gestos que hizo sobre un fueguino dormido, que le gustaría matarlo y comerlo. Fuese lo que fuese, el capitán Fitz Roy deseaba evitar una escaramuza que habría sido fatal para muchos fueguinos, y decidió que sería mejor que pasáramos la noche en una caleta distante unas millas de allí. Matthews, con su habitual resolución tranquila (notable en un hombre que demostraba un carácter muy poco enérgico) decidió permanecer con los fueguinos quienes, por su parte, no parecían temerosos. Así, pues, los dejamos pasar su primera noche horrible.

acted over a sleeping Fuegian, plainly showed, as it was said, that he should like to cut up and eat our man. Captain Fitz Roy, to avoid the chance of an encounter, which would have been fatal to so many of the Fuegians, thought it advisable for us to sleep at a cove a few miles distant. Matthews, with his usual quiet fortitude (remarkable in a man apparently possessing little energy of character), determined to stay with the Fuegians, who evinced no alarm for themselves; and so we left them to pass their first awful night.

On our return in the morning (28th) we were delighted to find all quiet, and the men employed in their canoes spearing fish. Captain Fitz Roy determined to send the yawl and one whale-boat back to the ship; and to proceed with the two other boats, one under his own command (in which he most kindly allowed me to accompany him), and one under Mr. Hammond, to survey the western parts of the Beagle Channel, and afterwards to return and visit the settlement. The day to our astonishment was overpoweringly hot, so that our skins were scorched: with this beautiful weather, the view in the middle of the Beagle Channel was very remarkable. Looking towards either hand, no object intercepted the vanishing points of this long canal between the mountains. The circumstance of its being an arm of the sea was rendered very evident by several huge whales [2] spouting in different directions. On one occasion I saw two of these monsters, probably male and female, slowly swimming one after the other, within less than a stone's throw of the shore, over which the beech-tree extended its branches. We sailed on till it was dark, and then pitched our tents in a quiet

---

(2) Un día, al pasar por la costa oriental de Tierra del Fuego, vimos un espléndido espectáculo de varios cachalotes que saltaban bastante erguidos con sólo sus colas en el agua. Cuando caían de costado levantaban grandes olas, produciendo un sonido parecido a una andanada distante.

[2] One day, off the East coast of Tierra del Fuego, we saw a grand sight in several spermaceti whales jumping upright quite out of the water, with the exception of their tail-fins. As they fell down sideways, they splashed the water high up, and the sound reverberated like a distant broadside.

A la mañana siguiente (el 28) cuando volvimos, tuvimos la satisfacción de encontrarlo todo en paz y de ver que los hombres se dedicaban a pescar en sus canoas. El capitán Fitz Roy decidió enviar la balandra y un bote ballenero al buque, y seguir el viaje con los otros dos botes, uno de ellos bajo su propio mando (en el que me rogó con amabilidad que me incluyera) y el otro bajo el mando de Mr. Hammond, con el fin de explorar las zonas occidentales del Canal Beagle y regresar luego para visitar el establecimiento. El día, con gran asombro por nuestra parte, fue tan caluroso hasta el punto de que el sol nos dejó hechos unos camarones. Con aquel tiempo espléndido, la vista desde el medio del Canal Beagle era maravillosa. Mirando hacia adelante o atrás, nada interceptaba la vista hasta el punto en que el canal se desvanecía entre las montañas de cada lado. Vimos varias ballenas enormes (2) largando chorros de vapor en distintos puntos, lo cual demostraba que el canal no era más que un brazo del propio mar. En cierta ocasión vi a dos de esos monstruos, tal vez macho y hembra, nadando con lentitud uno tras otro, a menos de un tiro de piedra de una orilla sobre la que una lenga extendía sus ramas. Seguimos navegando hasta que oscureció y entonces armamos nuestro campamento en la orilla de un tranquilo arroyo. Nuestros parajes favoritos para pasar la noche eran las zonas cubiertas de guijarros, porque son más secas y se adaptan al cuerpo. El suelo turboso es húmedo, la roca es demasiado dura, y la arena tiene el inconveniente de que se mete en la carne que se cocina y se come a la usanza marinera, de modo que cuando podíamos tender nuestras colchonetas en un buen

creek. The greatest luxury was to find for our beds a beach of pebbles, for they were dry and yielded to the body. Peaty soil is damp; rock is uneven and hard; sand gets into one's meat, when cooked and eaten boat-fashion; but when lying in our blanket-bags, on a good bed of smooth pebbles, we passed most comfortable nights.

It was my watch till one o'clock. There is something very solemn in these scenes. At no time does the consciousness in what a remote corner of the world you are then standing, come so strongly before the mind. Everything tends to this effect; the stillness of the night is interrupted only by the heavy breathing of the seamen beneath the tents, and sometimes by the cry of a night-bird. The occasional barking of a dog, heard in the distance, reminds one that it is the land of the savage.

JANUARY 20th

Early in the morning we arrived at the point where the Beagle Channel divides into two arms; and we entered the northern one. The scenery here becomes even grander than before. The lofty mountains on the north side compose the granitic axis, or backbone of the country and boldly rise to a height of between three and four thousand feet, with one peak above six thousand feet. They are covered by a wide mantle of perpetual snow, and numerous cascades pour their waters, through the woods, into the narrow channel below. In many parts, magnificent glaciers extend from the mountain side to the water's edge. It is scarcely possible to imagine anything more beautiful than the beryl-like blue of these glaciers, and especially as contrasted with the dead white of

lecho de guijarros, pasábamos la noche estupendamente bien.

Me tocó montar guardia hasta la una. En ninguna otra ocasión acude a la mente con tanta claridad la conciencia de que uno se encuentra en un rincón olvidado del mundo. Todo colabora a ello: la quietud reinante, la respiración pesada de los marineros dormidos en el interior de las tiendas, y tal vez el grito de alguna ave nocturna. En ocasiones, el ladrido de un perro, escuchado a la distancia, basta para recordar que uno se encuentra en una tierra salvaje.

20 DE ENERO

De madrugada llegamos a un punto donde el Canal Beagle se divide en dos brazos; penetramos por el septentrional, donde el paisaje es aún más magnífico. Las altas montañas de la parte norte constituyen el eje granítico o la espina dorsal del territorio; alcanzan alturas entre los 3.000 y 4.000 pies. Están cubiertas por un espeso manto de nieves perpetuas, y numerosas cascadas llevan sus aguas, a través de los bosques, a engrosar el estrecho canal. En muchos lugares, enormes glaciares se extienden desde la ladera de la montaña hasta el mismo filo del agua. Apenas es posible imaginar algo más hermoso que el color azul berilo de esos glaciares, en especial contrastando con el blanco apagado de la nieve que cubre las partes altas de la montaña. Los fragmentos del glaciar que habían caído al agua, flotaban en el canal que, gracias a esos icebergs, parecía una reproducción en miniatura del océano Artico. Desembarcados y con nuestros botes en tierra, comimos en un lugar desde donde podía admirarse, a una distancia de media

milla, un acantilado de hielo completamente perpendicular. Todos deseábamos que se desprendie-
ran algunos fragmentos para observar su caída. Al
fin, cayó una masa enorme, produciendo un ruido
ensordecedor, de inmediato vimos el suave perfil de
una ola que venía hacia nosotros. Los hombres
bajaron lo más rápido posible hacia los botes, que
corrían peligro de romperse. Uno de los marineros
alcanzó a agarrar las proas justo cuando llegó la
ola; lo tiró una y otra vez pero no se lastimó; y los
botes, levantados y dejados caer tres veces conse-
cutivas, no se dañaron.

Fue una suerte para nosotros, porque estábamos a 100 millas del barco y además, nos habría-
mos quedado sin provisiones ni armas de fuego.
Poco antes había observado que algunas rocas de la
playa parecían removidas recientemente; y ahora,
habiendo visto aquella ola, pude comprender por
qué. Uno de los lados del arroyo estaba formado por
un espolón de micacita, el fondo por un acantilado
de hielo de unos 40 pies de altura, y el otro lado por
un promontorio de unos 50 pies de altura, compuesto por enormes fragmentos redondeados de
granito y micacita, en los que crecían algunos árboles
muy viejos. Ese promontorio era evidentemente
una morena, amontonada en un período en que el
glaciar habría sido de mayores dimensiones.

Cuando llegamos a la desembocadura occidental
del brazo septentrional del Canal Beagle, cruzamos
por entre varias islas desoladas y desconocidas. El
tiempo era pésimo. La tierra parecía totalmente
deshabitada, porque no encontramos ni a un solo
nativo. La orilla era tan abrupta que a veces teníamos que navegar muchas millas para encontrar un

the upper expanse of snow. The fragments which
had fallen from the glacier into the water were floating
away, and the channel with its icebergs presented,
for the space of a mile, a miniature likeness of the
Polar Sea. The boats being hauled on shore at our
dinner-hour, we were admiring from the distance of
half a mile a perpendicular cliff of ice, and were
wishing that some more fragments would fall. At
last, down came a mass with a roaring noise, and
immediately we saw the smooth outline of a wave
travelling towards us. The men ran down as quickly
as they could to the boats; for the chance of their
being dashed to pieces was evident. One of the seamen just caught hold of the bows, as the curling
breaker reached it: he was knocked over and over,

lugar donde armar nuestras tiendas. Una noche dormimos sobre unas grandes rocas redondeadas, entre las cuales se pudrían unas algas, y cuando subió la marea tuvimos que levantarnos y recoger nuestras colchonetas. El punto más lejano hacia el oeste hasta donde llegamos fue la isla Stewart, a una distancia de unas 150 millas de nuestro barco. Volvimos al Canal Beagle por el brazo meridional y luego regresamos sin novedad al estrecho de Ponsonby.

6 DE FEBRERO

Llegamos a Woollya. Tan malo fue el relato que Matthews le hizo de la conducta de los fueguinos, que el capitán Fitz Roy resolvió llevar al misionero de vuelta al *Beagle*. Más tarde lo dejó en Nueva Zelanda, donde su hermano regenteaba una misión. A partir del momento en que abandonamos el establecimiento, se instauró allí un régimen de rapiña desenfrenada. Llegaron nuevos grupos de nativos; York y Jemmy perdieron muchas de sus cosas, y Matthews casi todo lo que no pudo ocultar bajo tierra. Parece que todos los artículos habían sido destruidos por los nativos y repartidos entre ellos. Matthews contó que la guardia que se vio obligado a montar en todo momento había sido muy fatigosa. Día y noche los nativos lo rodearon, intentando cansarlo con un ruido incesante que hacían cerca de su cabeza. Un día, un anciano a quien Matthews había pedido que se retirara de su wigwam, regresó enseguida con un gran pedrusco en la mano. Otro día, fue a su wigwam un grupo armado con piedras y palos, en el que los más jóvenes y el hermano de Jemmy estaban llorando; los

but not hurt, and the boats though thrice lifted on high and let fall again, received no damage. This was most fortunate for us, for we were a hundred miles distant from the ship, and we should have been left without provisions or fire-arms. I had previously observed that some large fragments of rock on the beach had been lately displaced; but until seeing this wave, I did not understand the cause. One side of the creek was formed by a spur of mica-slate; the head by a cliff of ice about forty feet high; and the other side by a promontory ſiſty feet high, built up of huge rounded fragments of granite and mica-slate, out of which old trees were growing. This promontory was evidently a moraine, heaped up at a period when the glacier had greater dimensions.

When we reached the western mouth of this northern branch of the Beagle Channel, we sailed amongst many unknown desolate islands, and the weather was wretchedly bad. We met with no natives. The coast was almost everywhere so steep, that we had several times to pull many miles before we could find space enough to pitch our two tents: one night we slept on large round boulders, with putrefying sea-weed between them; and when the tide rose, we had to get up and move our blanket-bags. The farthest point westward which we reached was Stewart Island, a distance of about one hundred and fifty miles from our ship. We returned into the Beagle Channel by the southern arm, and thence proceeded, with no adventure, back to Ponsonby Sound.

FEBRUARY 6th

We arrived at Woollya. Matthews gave so bad

tuvo que apaciguar con regalos. Otro grupo manifestó mediante gestos sus deseos de desnudarlo y arrancarle todos los pelos de la cara y el cuerpo. Creo que llegamos justo a tiempo para salvarle la vida. Los parientes de Jemmy habían sido tan poco previsores como para enseñar a los extraños los regalos obtenidos, y la manera de conseguirlos. Fue muy triste dejar a los tres fueguinos amigos entre sus salvajes paisanos; menos mal que no abrigaban temores por lo que se refería a su seguridad personal. York, que era un hombre fuerte y decidido, con seguridad iba a salir adelante con su esposa Fuegia. El pobre Jemmy estaba desconsolado y estoy seguro de que de buena gana se habría venido con nosotros. Su propio hermano le había robado muchas cosas, y lo escuché insultar a sus paisanos, llamándolos "hombres malos que no saben nada" y hasta maldecir espetándoles "malditos idiotas", cosa que hasta entonces no había hecho nunca. Nuestros tres fueguinos, aunque sólo habían vivido tres años entre hombres civilizados, hubiesen querido conservar sus nuevas costumbres, pero ello era imposible en aquellas circunstancias. Dudo que su estancia en Europa les sea de utilidad.

Al atardecer, con Matthews a bordo, nos dirigimos al barco, pero no por el Canal Beagle, sino por la costa meridional. Los botes iban muy cargados y el mar estaba algo agitado, por lo que tuvimos un viaje riesgoso. Al atardecer del día 7, llegamos a bordo del *Beagle*, después de una ausencia de 20 días, durante los cuales habíamos navegado 300 millas en botes abiertos. El día 11, el capitán Fitz Roy fue a visitar por última vez a los fueguinos y los encontró bien; les habían despojado de muy pocas cosas más.

an account of the conduct of the Fuegians, that Captain Fitz Roy determined to take him back to the Beagle; and ultimately he was left at New Zealand, where his brother was a missionary. From the time of our leaving, a regular system of plunder commenced; fresh parties of the natives kept arriving: York and Jemmy lost many things, and Matthews almost everything which had not been concealed underground. Every article seemed to have been torn up and divided by the natives. Matthews described the watch he was obliged always to keep as most harassing; night and day he was surrounded by the natives, who tried to tire him out by making an incessant noise close to his head. One day an old man, whom Matthews asked to leave his wigwam, immediately returned with a large stone in his hand: another day a whole party came armed with stones and stakes, and some of the younger men and Jemmy's brother were crying: Matthews met them with presents. Another party showed by signs that they wished to strip him naked and pluck all the hairs out of his face and body. I think we arrived just in time to save his life. Jemmy's relatives had been so vain and foolish, that they had showed to strangers their plunder, and their manner of obtaining it. It was quite melancholy leaving the three Fuegians with their savage countrymen; but it was a great comfort that they had no personal fears. York, being a powerful resolute man, was pretty sure to get on well, together with his wife Fuegia. Poor Jemmy looked rather disconsolate, and would then, I have little doubt, have been glad to have returned with us. His own brother had stolen many things from him; and as he remarked, "What fashion call that he abused his countrymen, all bad

El último día de febrero del año siguiente (1834), el *Beagle* echó anclas en una pequeña y hermosa bahía situada en la desembocadura oriental del Canal Beagle. El capitán Fitz Roy decidió seguir contra viento la misma ruta que hicimos en bote hasta el establecimiento de Woollya. Vimos pocos nativos hasta que llegamos cerca del Estrecho de Ponsonby, donde empezaron a seguirnos 10 o 12 canoas. Avanzábamos dando bordes, cosa que los indígenas no comprendían, y en lugar de encontrarnos al final de cada bordada, intentaban seguir nuestra marcha zigzagueante. Me divirtió mucho observar qué distinta resultaba mi actitud con respecto a los nativos, en la actual situación de estar seguros a bordo del barco, que nos confería una indudable superioridad sobre ellos. En el viaje anterior, en que navegábamos en botes, nos produjeron tantos dolores de cabeza que llegué a odiar el solo sonido de sus voces. Todo empezaba y acababa con "yammerschooner". Cuando, al llegar a una tranquila ensenada, mirábamos por todos lados y nos disponíamos a pasar una noche apacible, sonaba de pronto desde algún rincón sombrío esa odiosa palabra "yammerschooner" y veíamos levantarse una columnita de humo anunciando nuestra presencia a toda la comarca. Cuando nos marchábamos de algún lugar, y justo nos estábamos diciendo unos a otros: "¡Gracias a Dios, por fin nos liberamos de esos desgraciados!", llegaba enseguida a nuestros oídos una última palabra de despedida de una voz poderosa, escuchada a gran distancia, que era: "yammerschooner". Pero ahora, cuantos más fueguinos, más alegría. Ambos bandos lo pasamos muy bien, riéndonos, maravillándonos y mirándonos

men, no sabe (know) nothing" and, though I never heard him swear before, "damned fools". Our three Fuegians, though they had been only three years with civilized men, would, I am sure, have been glad to have retained their new habits; but this was obviously impossible. I fear it is more than doubtful, whether their visit will have been of any use to them.

In the evening, with Matthews on board, we made sail back to the ship, not by the Beagle Channel, but by the southern coast. The boats were heavily laden and the sea rough, and we had a dangerous passage. By the evening of the 7th we were on board the Beagle *after an absence of twenty days, during which time we had gone three hundred miles in the open boats. On the 11th, Captain Fitz Roy paid a visit by himself to the Fuegians and found them going on well; and that they had lost very few more things.*

On the last day of February in the succeeding year (1834) the Beagle *anchored in a beautiful little cove at the eastern entrance of the Beagle Channel. Captain Fitz Roy determined on the bold, and as it proved successful, attempt to beat against the westerly winds by the same route, which we had followed in the boats to the settlement at Woollya. We did not see many natives until we were near Ponsonby Sound, where we were followed by ten or twelve canoes. The natives did not at all understand the reason of our tacking, and, instead of meeting us at each tack, vainly strove to follow us in our zigzag course. I was amused at finding what a difference the circumstance of being quite superior in force made, in the interest of beholding these savages. While in the boats I got to hate the very sound of their voices, so much trouble did they give us. The*

boquiabiertos; nosotros, teniéndoles lástima porque nos dieron buenos pescados y cangrejos a cambio de cintajos, y ellos aprovechando haber encontrado a gente tan tonta dispuesta a trocar tales tesoros por una buena cena. Lo más divertido fue observar la expresión orgullosa y satisfecha con que una mujer joven se anudaba un pedazo de tela roja a la cabeza. Su marido, que disfrutaba del privilegio -muy corriente en aquella tierra- de poseer dos esposas, por lo visto se sintió celoso al ver que su mujer llamaba tanto la atención, y después de hablar un rato a sus dos desnudas bellezas, se fue en la canoa remada por ellas.

Algunos de los fueguinos mostraban tener noción de la justicia y equidad en lo que se refiere a los trueques. A un hombre le regalé un clavo bastante grande (un obsequio apreciadísimo allí), sin hacer señales de que deseaba verme correspondido; sin embargo, el hombre agarró enseguida dos peces y me los ofreció ensartados en la punta de su lanza. Si arrojábamos un regalo a una canoa y caía más cerca de otra, los tripulantes de ésta lo dejaban para los de la primera. El muchacho fueguino que Mr. Low tuvo a bordo demostró, al apasionarse en forma violenta, que había entendido bien el significado del reproche "mentiroso", que en verdad merecía. Como en otras ocasiones, nos sorprendió observar el poco caso que hacían de ciertos objetos cuya utilidad era evidente. Simples detalles –tales como el color azul o rojo de un traje, la ausencia de mujeres entre nosotros, nuestra afición a lavarnos– excitaban su admiración en mayor grado que otros objetos importantes y más complicados como por ejemplo, nuestro barco. Bougainville ha observado muy

first and last word was "yammerschooner". When, entering some quiet little cove, we have looked round and thought to pass a quiet night, the odious word "yammerschooner" has shrilly sounded from some gloomy nook, and then the little signal-smoke has curled up to spread the news far and wide. On leaving some place we have said to each other, "Thank heaven, we have at last fairly left these wretches!" when one more faint hallo from an all-powerful voice, heard at a prodigious distance, would reach our ears, and clearly could we distinguish — "yammerschooner". But now, the more Fuegians the merrier; and very merry work it was. Both parties laughing, wondering, gaping at each other; we pitying them, for giving us good fish and crabs for rags, etc.; they grasping at the chance of finding people so foolish as to exchange such splendid ornaments for a good supper. It was most amusing to see the undisguised smile of satisfaction with which one young woman with her face painted black, tied several bits of scarlet cloth round her head with rushes. Her husband, who enjoyed the very universal privilege in this country of possessing two wives, evidently became jealous of all the attention paid to his young wife; and, after a consultation with his naked beauties, was paddled away by them.

Some of the Fuegians plainly showed that they had a fair notion of barter. I gave one man a large nail (a most valuable present) without making any signs for a return; but he immediately picked out two fish, and handed them up on the point of his spear. If any present was designed for one canoe, and it fell near another, it was invariably given to the right owner. The Fuegian boy, whom Mr. Low had on board showed, by going into the most violent passion, that he quite

bien, refiriéndose a esas tribus, que consideran a "las obras maestras de la industria humana de la misma manera que a las leyes de la naturaleza y sus fenómenos".

El día 5 de marzo echamos anclas en la bahía Woollya, pero no encontramos allí ni un alma. Esto nos alarmó, sobre todo porque los nativos del Estrecho de Ponsonby nos indicaron con gestos que en aquel lugar se habían producido luchas. Más tarde supimos que los temidos hombre de la tribu Oens habían realizado una incursión. Pronto vimos llegar una canoa, con un banderín ondeando al viento, tripulada por un hombre que se afanaba por quitarse la pintura del rostro. Era el pobre Jemmy, convertido ya en un salvaje flaco y demacrado, con el pelo largo y desordenado, y desnudo por completo, excepto un harapo blanco atado al tórax. No lo reconocimos hasta que estuvo muy cerca de nosotros, porque le daba vergüenza que lo viésemos y daba la espalda al barco. Lo habíamos dejado limpio, aseado y regordete; pues bien, nunca he visto un cambio tan radical en una persona. Sin embargo, cuando estuvo ya vestido y no tan agitado, su aspecto mejoró mucho. Comió con el capitán Fitz Roy, y lo hizo con la misma corrección de otros tiempos.

Nos dijo que había comido "demasiado"(quería decir bastante), que no tenía frío, que sus parientes eran muy buena gente y que no deseaba volver a Inglaterra. Por la noche descubrimos la causa del gran cambio que se había producido en los sentimientos de Jemmy, cuando llegó su joven y atractiva esposa. Con sus buenos sentimientos naturales, trajo dos pieles de nutria para dos de sus mejores

understood the reproach of being called a liar, which in truth he was. We were this time, as on all former occasions, much surprised at the little notice, or rather none whatever, which was taken of many things, the use of which must have been evident to the natives. Simple circumstances —such as the beauty of scarlet cloth or blue beads, the absence of women, our care in washing ourselves,— excited their admiration far more than any grand or complicated object, such as our ship. Bougainville has well remarked concerning these people, that they treat the "chefs d'oeuvre de l'industrie humaine, comme ils traitent les loix de la nature et ses phenomenes".

On the 5th of March, we anchored in a cove at Woollya, but we saw not a soul there. We were alarmed at this, for the natives in Ponsonby Sound showed by gestures, that there had been fighting; and we afterwards heard that the dreaded Oens men had made a descent. Soon a canoe, with a little flag flying, was seen approaching, with one of the men in it washing the paint off his face. This man was poor Jemmy, — now a thin, haggard savage, with long disordered hair, and naked, except a bit of blanket round his waist. We did not recognize him till he was close to us, for he was ashamed of himself, and turned his back to the ship. We had left him plump, fat, clean, and well-dressed; — I never saw so complete and grievous a change. As soon, however, as he was clothed, and the first flurry was over, things wore a good appearance. He dined with Captain Fitz Roy, and ate his dinner as tidily as formerly. He told us that he had "too much" (meaning enough) to eat, that he was not cold, that his relations were very good people, and that he did not

amigos del barco, y un arco y varias flechas –hechos por él mismo– para el capitán. Dijo que se había construido una canoa, y se vanaglorió de que ya sabía hablar un poco de su propia lengua. Pero lo más curioso del caso es que había enseñado un poco de inglés a toda la tribu: un anciano nativo anunció espontáneamente: "la esposa de Jemmy Button". Jemmy había perdido todo lo que poseía. Nos contó que York Minster se había construido una canoa muy grande y que con su esposa Fuegia (3) se había marchado a su tierra hacía muchos meses. Para despedirse cometió una gran villanía: convenció a Jemmy y a su madre de que se fueran con ellos, y a mitad de camino, los abandonó una noche en la costa, robándoles todas sus pertenencias.

Jemmy fue a dormir a la orilla y volvió a la mañana siguiente. Se quedó a bordo hasta que el barco levó anclas, lo que asustó mucho a su esposa, que no cesó de llorar hasta que él volvió a su canoa. Jemmy regresó a tierra con un cargamento muy valioso. Todos los tripulantes del barco le estrechamos la mano con pesar, pensando que aquella sería la última vez que lo veíamos. No me cabe duda de que habrá sido tan feliz o más, como si nunca hubiese abandonado su tierra. Todos deseamos con sinceridad que se cumpliera la noble esperanza del capitán Fitz Roy de que los muchos sacrificios que generosamente había hecho para aquellos fueguinos obtuvieran su recompensa si algún día un marinero europeo, víctima de un naufragio, llegaba a tierra donde vivirían los descendientes de Jemmy Button. Cuando Jemmy llegó a la orilla encendió una fogata de despedida, cuya columna de humo pudimos distinguir largo rato desde alta mar.

wish to go back to England: in the evening we found out the cause of this great change in Jemmy's feelings, in the arrival of his young and nice-looking wife. With his usual good feeling he brought two beautiful otter-skins for two of his best friends, and some spear-heads and arrows made with his own hands for the Captain. He said he had built a canoe for himself, and he boasted that he could talk a little of his own language! But it is a most singular fact, that he appears to have taught all his tribe some English: an old man spontaneously announced "Jemmy Button's wife". Jemmy had lost all his property. He told us that York Minster had built a large canoe, and with his wife Fuegia, [3] had several months since gone to his own country, and had taken farewell by an act of consummate villainy; he persuaded Jemmy and his mother to come with him, and then on the way deserted them by night, stealing every article of their property.

Jemmy went to sleep on shore, and in the morning returned, and remained on board till the ship got under way, which frightened his wife, who continued crying violently till he got into his canoe. He returned loaded with valuable property. Every soul on board was heartily sorry to shake hands with him for the last time. I do not now doubt that he will be as happy as, perhaps happier than, if he had never left his own country. Every one must sincerely hope that Captain Fitz Roy's noble hope may be fulfilled, of being rewarded for the many generous sacrifices which he made for these Fuegians, by some shipwrecked sailor being protected by the descendants of Jemmy Button and his tribe! When Jemmy reached the shore, he lighted a signal fire, and the smoke curled

(3) El capitán Sulivan quien, desde su viaje en el *Beagle*, ha sido incorporado al relevamiento de las islas Falkland, relata que un cazador de focas le dijo (en 1842?) que en la parte occidental del estrecho de Magallanes se sorprendió cuando una mujer nativa que hablaba algo de inglés subió a bordo. Sin duda era Fuegia Basket. Ella vivió (me temo que el término se prestará a dobles interpretaciones) algunos días a bordo.

[3] Captain Sulivan, who, since his voyage in the Beagle, has been employed on the survey of the Falkland Islands, heard from a sealer in (1842?), that when in the western part of the Strait of Magellan, he was astonished by a native woman coming on board, who could talk some English. Without doubt this was Fuegia Basket. She lived (I fear the term probably bears a double interpretation) some days on board.

La absoluta igualdad existente entre todos los individuos que forman las tribus fueguinas retrasará en forma notable su civilización. Así como los animales cuyos instintos los llevan a vivir en sociedad y a obedecer a un jefe son más aptos para ser mejorados, lo mismo ocurre con las razas humanas. Lo mismo si lo consideramos como una causa o como una consecuencia, lo cierto es que los países más civilizados son los que tienen los sistemas de gobierno más artificiales. Por ejemplo, los habitantes de Otaheite, que –cuando fueron descubiertos, se gobernaban por reyes hereditarios– han alcanzado un grado de civilización más elevado que otra rama del mismo pueblo, los neocelandeses, quienes, a pesar de que se benefician con el hecho de verse obligados a cultivar la tierra, son republicanos en el sentido más absoluto de la palabra. En Tierra del Fuego, hasta que se levante algún jefe con poder suficiente para asegurar su jerarquía, como ocurre entre los animales, es difícil que pueda mejorar el estado político del territorio. En la actualidad todo, incluso un pedazo de tela que recibe un individuo como regalo, se hace trocitos y se reparte entre el mayor número posible. De esta manera, nadie es más rico que los demás. Por otra parte, es difícil imaginar cómo puede surgir un jefe si nadie puede tener propiedad alguna que ponga de manifiesto su superioridad y aumente su poderío.

En mi opinión, en esta parte extrema de América del Sur, el hombre se encuentra en un estado inferior a los habitantes del resto del mundo. En comparación con ellos, las dos razas que habitan las islas del Pacífico sur son civilizadas. Los esquimales, en sus guaridas subterráneas, disfrutan de algunas

up, bidding us a last and long farewell, as the ship stood on her course into the open sea.

The perfect equality among the individuals composing the Fuegian tribes must for a long time retard their civilization. As we see those animals, whose instinct compels them to live in society and obey a chief, are most capable of improvement, so is it with the races of mankind. Whether we look at it as a cause or a consequence, the more civilized always have the most artificial governments. For instance, the inhabitants of Otaheite, who, when first discovered, were governed by hereditary kings, had arrived at a far higher grade than another branch of the same people, the New Zealanders, who, although benefited by being compelled to turn their attention to agriculture, were republicans in the most absolute sense. In Tierra del Fuego, until some chief shall arise with power sufficient to secure any acquired advantage, such as the domesticated animals, it seems scarcely possible that the political state of the country can be improved. At present, even a piece of cloth given to one is torn into shreds and distributed; and no one individual becomes richer than another. On the other hand, it is difficult to understand how a chief can arise till there is property of some sort by which he might manifest his superiority and increase his power.

I believe, in this extreme part of South America, man exists in a lower state of improvement than in any other part of the world. The South Sea Islanders, of the two races inhabiting the Pacific, are comparatively civilized. The Esquimau in his subterranean hut, enjoys some of the comforts of life, and in his canoe, when fully equipped, manifests much skill. Some of

comodidades relativas, y demuestran una gran habilidad en el manejo de sus canoas, cuando están bien equipadas. Algunas de las tribus sudafricanas, obligadas a vagabundear en busca de raíces para su sustento y a vivir ocultas en las llanuras áridas y salvajes, son realmente muy desdichadas. El australiano, por la simplicidad en su forma de vivir, se parece mucho al fueguino; sin embargo puede enorgullecerse de su bumerang, de su lanza y sus flechas; y de su manera de trepar a los árboles, de domesticar animales y de cazar. Aunque el australiano esté más adelantado en este sentido, ello no significa que sea superior al fueguino en capacidad mental. Por el contrario, por lo que pude observar en los fueguinos que llevamos a bordo, y por lo que he leído de los australianos, en mi opinión el caso es totalmente a la inversa.

the tribes of Southern Africa prowling about in search of roots, and living concealed on the wild and arid plains, are sufficiently wretched. The Australian, in the simplicity of the arts of life, comes nearest the Fuegian: he can, however, boast of his boomerang, his spear and throwing-stick, his method of climbing trees, of tracking animals, and of hunting. Although the Australian may be superior in acquirements, it by no means follows that he is likewise superior in mental capacity: indeed, from what I saw of the Fuegians when on board and from what I have read of the Australians, I should think the case was exactly the reverse.

capítulo 4

ESTRECHO DE MAGALLANES.PORT FAMINE.

ASCENSO AL CERRO TARN. BOSQUES.

HONGO COMESTIBLE. ZOOLOGÍA. ENORMES ALGAS.

DESPEDIDA A TIERRA DEL FUEGO. CLIMA.

ARBOLES FRUTALES Y PRODUCTOS DE LAS COSTAS MERIDIONALES.

ALTURA DE LA LÍNEA DE NIEVES PERPETUAS EN LA CORDILLERA.

DESCENSO DE LOS GLACIARES AL MAR – FORMACIÓN DE ICEBERGS.

TRANSPORTE DE PEÑASCOS.

chapter 4

STRAIT OF MAGELLAN. PORT FAMINE.

ASCENT OF MOUNT TARN. FORESTS.

EDIBLE FUNGUS. ZOOLOGY. GREAT SEA-WEED.

LEAVE TIERRA DEL FUEGO. CLIMATE.

FRUIT-TREES AND PRODUCTIONS OF THE SOUTHERN COASTS.

HEIGHT OF SNOW-LINE ON THE CORDILLERA.

DESCENT OF GLACIERS TO THE SEA. ICEBERGS FORMED.

TRANSPORTAL OF BOULDERS.

Estrecho de Magallanes - *Strait of Magellan*

Puerto Hambre - *Port Famine*

Hacia fines de Mayo de 1834 entramos por segunda vez en la boca oriental del Estrecho de Magallanes. A ambos lados de esta parte del estrecho, el paisaje consiste en llanuras situadas casi todas al mismo nivel, muy semejantes a las de la Patagonia.

Cabo Negro, situado en el interior del segundo paso más estrecho, puede considerarse el punto preciso donde el terreno empieza a asumir las marcadas características de Tierra del Fuego. En la costa oriental, al sur del estrecho, una zona accidentada como un parque constituye el punto de conexión entre estas dos comarcas vecinas, tan opuestas entre sí en casi todos los aspectos. Es en verdad sorprendente encontrar en un espacio de 20 millas un cambio tan radical en el paisaje. Si tomamos en consideración una distancia mayor, tal como la que existe entre Port Famine y la Bahía Gregory, o sea unas 60 millas, la diferencia es todavía más asombrosa. En el primero de estos dos lugares, se levantan montañas de formas redondeadas, cubiertas de bosques frondosos que deben su existencia a las lluvias de los temporales, mientras que en Cabo Gregory, el cielo, claro y de color azul brillante, se extiende por encima de las llanuras secas y estériles. Las corrientes atmosféricas, (1) aunque son rápidas, turbulentas y en apariencia ilimitadas, al parecer siguen un curso determinado, lo mismo que los ríos que se deslizan por sus cauces.

In the end of May, 1834 we entered for a second time the eastern mouth of the Strait of Magellan. The country on both sides of this part of the Strait consists of nearly level plains, like those of Patagonia. Cape Negro, a little within the second Narrows, may be considered as the point where the land begins to assume the marked features of Tierra del Fuego. On the east coast, south of the Strait, broken park-like scenery in a like manner connects these two countries, which are opposed to each other in almost every feature. It is truly surprising to find in a space of twenty miles such a change in the landscape. If we take a rather greater distance, as between Port Famine and Gregory Bay, that is about sixty miles, the difference is still more wonderful. At the former place, we have rounded mountains concealed by impervious forests, which are drenched with the rain, brought by an endless succession of gales; while at Cape Gregory, there is a clear and bright blue sky over the dry and sterile plains. The atmospheric currents, [1] although rapid, turbulent, and unconfined by any apparent limits, yet seem to follow, like a river in its bed, a regularly determined course.

During our previous visit (in January), we had an interview at Cape Gregory with the famous so-called gigantic Patagonians, who gave us a cordial reception. Their height appears greater than it really is, from their large guanaco mantles, their long

[1] Las brisas que soplan del sudoeste son generalmente muy secas. El 29 de enero, anclados en Cabo Gregory: una fuerte tempestad del sudoeste, cielo claro con pocos cúmulos, temperatura 57 grados, punto en que el rocío se convierte en agua 36 grados, diferencia 21 grados. El 15 de enero, en Puerto San Julián: por la mañana, vientos leves con mucha lluvia, seguidos por un fuertísimo aguacero con lluvia que después se estabilizó en un fuerte temporal con cúmulos grandes, aclaró, soplando muy fuerte del sur-sudoeste, temperatura 60 grados, punto en que el rocío se convierte en agua 42 grados, diferencia 18 grados.

[1] The south-westerly breezes are generally very dry. January 29th, being at anchor under Cape Gregory: a very hard gale from W. by S., clear sky with few cumuli; temperature 57 degs., dew-point 36 degs., — difference 21 degs. On January 15th, at Port St. Julian: in the morning, light winds with much rain, followed by a very heavy squall with rain, — settled into heavy gale with large cumuli, — cleared up, blowing very strong from S.S.W. Temperature 60 degs., dew-point 42 degs., — difference 18 degs.

Durante nuestra visita anterior (en el mes de enero) tuvimos el placer, en Cabo Gregory, de entrar en contacto con los famosos y gigantescos patagones, que nos recibieron con gran cordialidad. Su figura parece mayor de lo que es en realidad gracias a sus mantas de piel de guanaco y a sus largos pelos sueltos. Por término medio, su estatura es de unos seis pies; algunos son más altos y muy pocos más bajos; las mujeres son también de buena estatura, y en conjunto constituyen la raza más alta que hemos conocido. Por sus rasgos fisonómicos se parecen mucho a los indios norteños que vi en el ejército del general Rosas, pero su expresión es mucho más salvaje y terrible; se pintan la cara de rojo y negro, y uno de ellos llevaba franjas blancas horizontales y pintas blancas, a la usanza fueguina. El capitán Fitz Roy ofreció llevar a bordo del *Beagle* a tres indígenas, y todos deseaban ser los elegidos. Nos fue difícil despejar el bote, pero al final llegamos a bordo con nuestros tres gigantes, que comieron con el capitán como verdaderos caballeros, usando en forma correcta el tenedor, la cuchara y el cuchillo. Les encantó el azúcar. La tribu está en relación con los cazadores de focas y ballenas, por cuya razón la mayoría de los nativos conocen algunas palabras de inglés y de español; están civilizados a medias, y proporcionalmente corrompidos.

A la mañana siguiente, varios miembros de la tripulación bajaron a tierra con la finalidad de regatear por unas pieles y plumas de avestruz. Como nos negamos a trocar nuestras armas de fuego, el artículo más codiciado pasó a ser el tabaco, más aún que las hachas y los cuchillos. En la orilla estaba alineada toda la población de los *"toldos"*, hombres, mujeres y niños. La escena fue muy divertida, y era

flowing hair, and general figure: on an average, their height is about six feet, with some men taller and only a few shorter; and the women are also tall; altogether they are certainly the tallest race which we anywhere saw. In features they strikingly resemble the more northern Indians whom I saw with Rosas, but they have a wilder and more formidable appearance: their faces were much painted with red and black, and one man was ringed and dotted with white like a Fuegian. Captain Fitz Roy offered to take any three of them on board, and all seemed determined to be of the three. It was long before we could clear the boat; at last we got on board with our three giants, who dined with the Captain, and behaved quite like gentlemen, helping themselves with knives, forks, and spoons: nothing was so much relished as sugar. This tribe has had so much communication with sealers and whalers that most of the men can speak a little English and Spanish; and they are half civilized, and proportionally demoralized.

The next morning a large party went on shore, to barter for skins and ostrich-feathers; fire-arms being refused, tobacco was in greatest request, far more so than axes or tools. The whole population of the toldos, men, women, and children, were arranged on a bank. It was an amusing scene, and it was impossible not to like the so-called giants, they were so thoroughly good-humoured and unsuspecting: they asked us to come again. They seem to like to have Europeans to live with them; and old Maria, an important woman in the tribe, once begged Mr. Low to leave any one of his sailors with them. They spend the greater part of the year here; but in summer they hunt along the foot of the Cordillera: sometimes they travel as far as the Rio Negro, 750

imposible no sentir afecto por aquellos gigantes, siempre de buen humor y confiados. Todos nos rogaron que volviésemos pronto, al parecer les gustaban tener a europeos viviendo con ellos. Una anciana venerable, mujer muy importante en su tribu, pidió a Mr. Low en cierta ocasión que permitiera a cualquiera de sus marineros quedarse con ellos. Durante la mayor parte del año viven allí, pero en verano se dedican a la caza, al pie de la cordillera. A veces llegan hasta el Río Negro, a 750 millas hacia el norte. No les faltan caballos, pues según Mr. Low, cada hombre posee seis o siete, y todas las mujeres y hasta los niños, tienen cada uno su propio caballo. En los tiempos de Sarmiento (1580)*, esos indios andaban armados con arcos y flechas, que hoy están en desuso; al parecer tenían caballos también, aunque en número muy reducido. Es curioso el hecho, porque demuestra la extraordinaria rapidez con que se multiplican los caballos en América del Sur. Los primeros caballos llegaron a Buenos Aires en 1537, pero como la colonia quedó desierta durante cierto tiempo, los animales se volvieron salvajes (2). En 1580, sólo 43 años más tarde, se los encontraba ya en el Estrecho de Magallanes. Mr. Low me ha informado que una tribu de indios vecina que antes andaba a pie, está en vías de convertirse en gente montada: la tribu de la Bahía Gregory les da sus caballos viejos y envía en el invierno a algunos de sus hombres más diestros a fin de que capturen caballos salvajes para ellos.

1° DE JUNIO

Echamos anclas en la hermosa Bahía de Port Famine. Estábamos a principio de invierno, y el panorama era poco acogedor: los bosques, cubiertos

miles to the north. They are well stocked with horses, each man having, according to Mr. Low, six or seven, and all the women, and even children, their one own horse. In the time of Sarmiento (1580)*, these Indians had bows and arrows, now long since disused; they then also possessed some horses. This is a very curious fact, showing the extraordinarily rapid multiplication of horses in South America. The horse was first landed at Buenos Ayres in 1537, and the colony being then for a time deserted, the horse ran wild; [2] in 1580, only forty-three years afterwards, we hear of them at the Strait of Magellan! Mr. Low informs me, that a neighbouring tribe of foot-Indians is now changing into horse-Indians: the tribe at Gregory Bay giving them their worn-out horses, and sending in winter a few of their best skilled men to hunt for them.

JUNE 1st

We anchored in the fine bay of Port Famine. It was now the beginning of winter, and I never saw a more cheerless prospect; the dusky woods, piebald with snow, could be only seen indistinctly, through a drizzling hazy atmosphere. We were, however, lucky in getting two fine days. On one of these, Mount Sarmiento, a distant mountain 6800 feet high, presented a very noble spectacle. I was frequently surprised in the scenery of Tierra del Fuego, at the little apparent elevation of mountains really lofty. I suspect it is owing to a cause which would not at first be imagined, namely, that the whole mass, from the summit to the water's edge, is generally in full view. I remember having seen a mountain, first from the Beagle Channel, where the whole sweep from the summit to the base was full in view, and then

---

* Se refiere a Sarmiento de Gamboa. (N. del E.)
(2) Rengger, *Natur. der Saeugethiere von Paraguay*. S. 334

* It refers to Sarmiento de Gamboa. (Note from the Editor)
[2] Rengger, Natur. der Saeugethiere von Paraguay. S. 334.

de nieve en forma parcial, se veían sólo un poco a través de la garúa brumosa. Sin embargo, tuvimos la suerte de coincidir con dos días de tiempo excelente. Uno de aquellos días, el Monte Sarmiento, una montaña lejana de 6.800 pies de altura, ofrecía un espectáculo estupendo. En el paisaje de Tierra del Fuego, me sorprendió más de una vez observar que las montañas parecían a primera vista menos altas de lo que eran en realidad. Sospecho que ello se debe a una causa que al principio no se le ocurre a uno: cl hccho de que toda la masa de la montaña, desde la cumbre al pie, por lo general es visible en una sola mirada. Recuerdo haber visto una montaña, primero desde el Canal Beagle donde era visible

from Ponsonby Sound across several successive ridges; and it was curious to observe in the latter case, as each fresh ridge afforded fresh means of judging of the distance, how the mountain rose in height.

Before reaching Port Famine, two men were seen running along the shore and hailing the ship. A boat was sent for them. They turned out to be two sailors who had run away from a sealing-vessel, and had joined the Patagonians. These Indians had treated them with their usual disinterested hospitality. They had parted company through accident, and were then proceeding to Port Famine in hopes of finding some ship. I dare say they were worthless vagabonds, but I never saw more miserable-looking ones. They had been

Puerto Hambre - *Port Famine*

toda la masa del cerro, y luego desde el Estrecho de Ponsonby, por encima de serranías sucesivas de menor altura que proporcionaban puntos de referencia ideales para apreciar la gran altura de la montaña en cuestión.

Antes de llegar a Port Famine, vimos a dos hombres corriendo a lo largo de la costa y gritando en dirección al barco. Les enviamos un bote, y cuando volvió, resultó que se trataba de dos marineros que habían desertado de un barco dedicado a la caza de focas y se habían refugiado entre los patagones. Los indios los habían tratado con la hospitalidad desinteresada que los caracterizaba, y los hombres se habían separado de ellos por casualidad. Cuando los encontramos, se dirigían a Port Famine con la esperanza de encontrar algún barco. A mi parecer, eran unos vagabundos inútiles, y nunca vi gente así de aspecto más miserable. Habían vivido varios días sustentándose a base de mariscos y frutas, y su ropa harapienta estaba quemada por haber dormido demasiado cerca de sus fuegos. Lo mismo de día que de noche tuvieron que soportar, sin el menor abrigo, tempestades de lluvia, aguanieve y nieve, así y todo, se conservaban en buen estado de salud.

Durante nuestra estancia en Port Famine, los fueguinos vinieron a importunarnos dos veces. Como había muchos instrumentos, ropa y hombres en la orilla, nos parecía conveniente asustarlos para alejarlos de allí. La primera vez, disparamos unos cuantos cañonazos cuando ellos estaban muy lejos. Era muy divertido observarlos a través de un prismático: cada vez que el disparo impactó en el agua, levantaron piedras y, desafiantes, las arrojaron

living for some days on mussel-shells and berries, and their tattered clothes had been burnt by sleeping so near their fires. They had been exposed night and day, without any shelter, to the late incessant gales, with rain, sleet, and snow, and yet they were in good health.

During our stay at Port Famine, the Fuegians twice came and plagued us. As there were many instruments, clothes, and men on shore, it was thought necessary to frighten them away. The first time a few great guns were fired, when they were far distant. It was most ludicrous to watch through a glass the Indians, as often as the shot struck the water, take up stones, and, as a bold defiance, throw them towards the ship, though about a mile and a half distant! A boat was sent with orders to fire a few musket-shots wide of them. The Fuegians hid themselves behind the trees, and for every discharge of the muskets they fired their arrows; all, however, fell short of the boat, and the officer as he pointed at them laughed. This made the Fuegians frantic with passion, and they shook their mantles in vain rage. At last, seeing the balls cut and strike the trees, they ran away, and we were left in peace and quietness. During the former voyage the Fuegians were here very troublesome, and to frighten them a rocket was fired at night over their wigwams; it answered effectually, and one of the officers told me that the clamour first raised, and the barking of the dogs, was quite ludicrous in contrast with the profound silence which in a minute or two afterwards prevailed. The next morning not a single Fuegian was in the neighbourhood.

When the Beagle *was here in the month of February, I started one morning at four o'clock to*

en dirección del barco, a pesar de que se encontraban a una distancia de una milla y media. Enviamos hacia allí un bote con orden de disparar los mosquetes hacia ellos pero sin apuntarlos. Los fueguinos se ocultaron tras los árboles, y a cada descarga de la mosquetería, disparaban una lluvia de flechas, pero sus proyectiles no alcanzaban al bote. El oficial a cargo no podía reprimir sus carcajadas, al señalarlos, lo cual enfurecía a los impotentes fueguinos que, llevados por su rabia, agitaban frenéticamente sus mantas en el aire. Al fin, viendo que las balas cortaban y pegaban en los árboles, se dieron a la fuga y nos dejaron en paz. Durante el viaje anterior los fueguinos de aquí fueron muy molestos. Para asustarlos se disparó un cohete sobre sus *wigwams* durante la noche. Surtió efecto; uno de los oficiales me contó que el clamor suscitado y los ladridos de los perros, fue bastante significativo en contraste con el silencio profundo que se impuso uno o dos minutos después. A la mañana siguiente, no quedó en el lugar un solo fueguino.

Durante la visita anterior del *Beagle* aquí, en el mes de febrero, una mañana a las cuatro emprendí el ascenso al Monte Tarn, que tiene una altura de unos 2.600 pies y es el punto más elevado del distrito inmediato. Navegamos en bote hasta el pie de la montaña (por desgracia no al lugar más indicado) y empezamos nuestro ascenso desde allí. El bosque empieza en el límite de la marea alta, así que durante las dos primeras horas abandoné toda esperanza de alcanzar la cumbre. Necesitaba en todo momento la brújula para orientarme, porque la espesura del bosque tapaba los puntos de referencia geográficos del terreno montañoso alrededor. En los profundos

ascend Mount Tarn, which is 2600 feet high, and is the most elevated point in this immediate district. We went in a boat to the foot of the mountain (but unluckily not to the best part), and then began our ascent. The forest commences at the line of high-water mark, and during the first two hours I gave over all hopes of reaching the summit. So thick was the wood, that it was necessary to have constant recourse to the compass; for every landmark, though in a mountainous country, was completely shut out. In the deep ravines, the death-like scene of desolation exceeded all description; outside it was blowing a gale, but in these hollows, not even a breath of wind stirred the leaves of the tallest trees. So gloomy, cold, and wet was every part, that not even the fungi, mosses, or ferns could flourish. In the valleys it was scarcely possible to crawl along, they were so completely barricaded by great mouldering trunks, which had fallen down in every direction. When passing over these natural bridges, one's course was often arrested by sinking knee deep into the rotten wood; at other times, when attempting to lean against a firm tree, one was startled by finding a mass of decayed matter ready to fall at the slightest touch. We at last found ourselves among the stunted trees, and then soon reached the bare ridge, which conducted us to the summit. Here was a view characteristic of Tierra del Fuego; irregular chains of hills, mottled with patches of snow, deep yellowish-green valleys, and arms of the sea intersecting the land in many directions. The strong wind was piercingly cold, and the atmosphere rather hazy, so that we did not stay long on the top of the mountain. Our descent was not quite so

barrancos todo era desolación e inmovilidad de muerte; fuera del bosque soplaba un viento fuerte, pero allí ni las hojas más altas de los árboles se movían. Ahí todo era tan húmedo, oscuro y frío que ni los hongos ni los musgos ni los helechos podían crecer. Apenas se podían cruzar los valles, puesto que estaban cubiertos por grandes troncos de árboles caídos en todas direcciones, que formaban barricadas. Al pasar por estos puentes naturales, más de una vez el caminante se hundía hasta la rodilla en la madera podrida; otras veces, cuando intentaba apoyarse en un árbol firme se encontraba con una masa de materia en descomposición que se caía al ser tocada. Por fin llegamos a una zona de árboles enanos y luego a la loma desnuda que nos condujo hasta la cumbre. Desde allí divisamos un panorama característico de Tierra del Fuego: cadenas irregulares de sierras, moteadas de nieve, valles profundos de color verde amarillento, y brazos de mar penetrando en la costa en todas direcciones. El viento fuerte era muy frío y había bruma, de modo que no nos quedamos mucho tiempo arriba. El descenso no fue tan difícil como la ascensión, porque el peso del cuerpo nos ayudaba a traspasar la espesura y todas las resbaladas y caídas nos conducían en la dirección correcta.

He mencionado ya el aspecto sombrío y poco variado de los bosques perennes (3), en los que crecen sólo dos o tres especies de árboles, con exclusión de todas las demás. Más arriba de la zona boscosa, crecen algunas plantas de tipo alpino que se levantan entre la capa de turba y colaboran a

laborious as our ascent, for the weight of the body forced a passage, and all the slips and falls were in the right direction.

I have already mentioned the sombre and dull character of the evergreen forests, [3] in which two or three species of trees grow, to the exclusion of all others. Above the forest land, there are many dwarf alpine plants, which all spring from the mass of peat, and help to compose it: these plants are very remarkable from their close alliance with the species growing on the mountains of Europe, though so many thousand miles distant. The central part of Tierra del Fuego, where the clay-slate formation occurs, is most favourable to the growth of trees; on the outer coast the poorer granitic soil, and a situation more exposed to the violent winds, do not allow of their attaining any great size. Near Port Famine I have seen more large trees than anywhere else: I measured a Winter's Bark which was four feet six inches in girth, and several of the beech were as much as thirteen feet. Captain King also mentions a beech which was seven feet in diameter, seventeen feet above the roots.

There is one vegetable production deserving notice from its importance as an article of food to the Fuegians. It is a globular, bright-yellow fungus, which grows in vast numbers on the beech-trees. When young it is elastic and turgid, with a smooth surface; but when mature it shrinks, becomes tougher, and has its entire surface deeply pitted or honey-combed, as represented in the accompanying wood-cut. This

(3) El capitán Fitz Roy me informa que en abril (nuestro octubre), las hojas de los árboles que crecen cerca de la base de las montañas cambian de color, pero no así aquellos que crecen sobre las partes más elevadas. Recuerdo haber leído algunas observaciones que demuestran que en Inglaterra las hojas caen antes en un otoño cálido de días claros que en uno tardío y frío. El hecho de que el cambio en el color aquí es retardado en los sitios más elevados y fríos debe responder a la misma ley general de la vegetación. En Tierra del Fuego los árboles nunca se despojan de todas sus hojas totalmente durante un período dado del año.

[3] Captain Fitz Roy informs me that in April (our October), the leaves of those trees which grow near the base of the mountains change colour, but not those on the more elevated parts. I remember having read some observations, showing that in England the leaves fall earlier in a warm and fine autumn than in a late and cold one, The change in the colour being here retarded in the more elevated, and therefore colder situations, must he owing to the same general law of vegetation. The trees of Tierra del Fuego during no part of the year entirely shed their leaves.

formarlo. Estas plantas son muy notables por su estrecha semejanza con las especies que crecen en las montañas de Europa, a pesar de los millares de millas que las separan. La parte central de Tierra del Fuego, donde se encuentra una formación de caliza arcillosa, es la más favorable para el crecimiento de árboles. En la costa abierta, el suelo granítico, muy pobre, y la situación -más expuesta a los embates del viento- no les permiten alcanzar alturas considerables. Cerca de Port Famine he visto más árboles grandes que en cualquier otro sitio. Medí un leña dura que tenía cuatro pies y seis pulgadas de circunferencia; muchos Nothofagus llegaban hasta los 13 pies. El capitán King también menciona uno de estos árboles, que tenía siete pies de diámetro a una altura de 17 pies por encima de las raíces.

Hay allí una forma vegetal que merece atención, porque sirve de alimento a los fueguinos. Es un hongo de forma globular y color amarillo brillante

Coihue (Nothofagus betuloides) - *Winter's bark (Nothofagus betuloides)*

que crece en gran número en los troncos de los *Nothofagus*. Cuando joven, es elástico, túrgido y tiene la superficie muy lisa, pero cuando está maduro se encoge, se endurece y aparecen en su superficie unas celdas parecidas a las de un panal. Este hongo pertenece a un género nuevo y muy curioso (4). Encontré otra especie parásita sobre otra especie de *Nothofagus* en Chile, y el doctor Hooker me comunica que hace poco se ha descubierto una tercera especie en una tercera especie de *Nothofagus* en la tierra de Van Diernan. ¡Qué singular es esta relación entre los hongos parásitos y los árboles en que crecen, en las distintas partes del mundo!

En Tierra del Fuego las mujeres y los niños suelen recoger los hongos cuando están maduros y los comen crudos. Tienen un sabor mucilaginoso y ligeramente dulce, y un suave aroma parecido al de la seta. Aparte de este hongo y de las bayas, en especial las que produce una especie de madroño silvestre, los nativos no comen otros vegetales. En Nueva Zelanda, antes de la introducción de la papa, se consumía en

Llao-llao (Cyttaria darwinii) - *Llao-llao (Cyttaria darwinii)*

fungus belongs to a new and curious genus, [4] I found a second species on another species of beech in Chile: and Dr. Hooker informs me, that just lately a third species has been discovered on a third species of beech in Van Diernan's Land. How singular is this relationship between parasitical fungi and the trees on which they grow, in distant parts of the world! In Tierra del Fuego the fungus in its tough and mature state is collected in large quantities by the women and

Lobo marino de un pelo (Otaria flavescens)
Southern sea lion (Otaria flavescens)

Lobo marino de dos pelos (Arctocephalus australis)
South American fur seal (Arctocephalus australis)

[4] Described from my specimens and notes by the Rev. J. M. Berkeley, in the Linnean Transactions *(vol. xix. p. 37), under the name of* Cyttaria darwinii; *the Chilean species is the* C. Berteroii. *This genus is allied to* Bulgaria.

gran cantidad la raíz del helecho. Según creo, Tierra del Fuego es, en la actualidad, el único lugar en el mundo donde una planta criptogámica proporciona un artículo de alimentación de consumo general.

La zoología de Tierra del Fuego, como puede deducirse por la naturaleza de su clima y vegetación, es muy pobre. En cuanto a los mamíferos, además de las ballenas y las focas, existen: un murciélago, una especie de ratón *(Reithrodon chinchilloides)*, dos tipos de verdaderos ratones y un *Ctenomys* parecido o idéntico al tucutuco, dos zorros *(Canis magellanicus* y *C. azarae)*, una nutria de mar, el guanaco y un ciervo. La mayoría de estos animales sólo se encuentran en las partes orientales y más secas del territorio; nunca se ha visto el ciervo al sur del estrecho de Magallanes. Observando la general correspondencia de los acantilados y las playas, el barro y los cantos rodados en ambos lados del estrecho y en algunos islotes en el medio, uno se siente tentado a creer que en otros tiempos esta tierra estuvo unida, lo cual permitiría a animales tan delicados e indefensos como el tucutuco y el *Reithrodon* pasar al otro lado del estrecho.

La correspondencia de los acantilados está muy lejos de bastar como prueba demostrativa de esta previa unidad de las tierras, porque esos acantilados están formados por lo general por la intersección de depósitos en declive que, antes de la elevación de la Tierra, se habían acumulado cerca de las costas que existían en aquellos tiempos. Sin embargo, es una coincidencia muy notable el hecho de que, de dos grandes islas separadas del resto de Tierra del Fuego por el Canal Beagle, una de ellas ostente acantilados compuestos por una materia que puede considerarse

Zorro colorado fueguino (Pseudolopex culpaeus)
Fuegian red fox (Pseudolopex culpaeus)

children, and is eaten un-cooked. It has a mucilaginous, slightly sweet taste, with a faint smell like that of a mushroom. With the exception of a few berries, chiefly of a dwarf arbutus, the natives eat no vegetable food besides this fungus. In New Zealand, before the introduction of the potato, the roots of the fern were largely consumed; at the present time, I believe, Tierra del Fuego is the only country in the world where a cryptogamic plant affords a staple article of food.

The zoology of Tierra del Fuego, as might have been expected from the nature of its climate and vegetation, is very poor. Of mammalia, besides whales and seals, there is one bat, a kind of mouse (Reithrodon chinchilloides), *two true mice, a* ctenomys *allied to or identical with the tucutuco, two foxes* (Canis magellanicus *and* C. azarae), *a sea-otter, the guanaco, and a deer. Most of these animals inhabit only the drier eastern parts of the country; and the deer has never been seen south of the Strait of Magellan. Observing the general correspondence of*

(4) De una descripción de mis muestras y apuntes del reverendo J. M. Berkeley, en *Linnean Transactions* (vol. Xix. P. 37), bajo el nombre de *Cyttaria darwinii*; la especie chilena es *C. berteroii*. Este género es aliado a *Bulgaria*.

como aluviones estratificados, de la misma clase que los que forman la costa opuesta, en tanto que la otra está formada por rocas cristalinas. Jemmy Button me afirmó que en la primera, llamada Isla Navarino, se encuentran zorros y guanacos, mientras que en la última, la Isla Hoste, aunque es muy semejante en todos los aspectos y sólo está separada de la primera por un canal de un poco más de media milla de anchura, no se encuentra ninguno de los dos animales.

En los sombríos bosques viven pocas aves; de vez en cuando se escucha el grito quejumbroso de un papamoscas de cresta blanca (Myiobius albiceps), oculto en la parte más alta de los árboles, casi en la cima; y más raramente todavía el grito fuerte y extraño de un carpintero negro con una hermosa cresta de color escarlata. Un reyezuelo de color oscuro (Scytalopus magellanicus) salta ocultándose entre las ramas de los árboles caídos. Pero el ave más común es un trepador (Oxyurus tupinieri). Se lo encuentra en todos los bosques de *Nothofagus*, en lugares altos y bajos, en los barrancos más oscuros, húmedos e impenetrables. Esta pequeña ave, sin duda parece más numerosa de lo que es en realidad, debido a su rara costumbre de seguir a quienquiera que penetre en estos bosques silenciosos, llevada al parecer por la curiosidad. Gorjeando ásperamente, vuela de árbol en árbol, pasando a pocos pies de la cara del intruso. En ello se distingue mucho del verdadero trepador (Certhia familiaris), que busca siempre la manera de ocultarse; tampoco trepa corriendo por los troncos de los árboles como lo hace aquella ave, sino que va saltando laborioso como un reyezuelo y busca

the cliffs of soft sandstone, mud, and shingle, on the opposite sides of the Strait, and on some intervening islands, one is strongly tempted to believe that the land was once joined, and thus allowed animals so delicate and helpless as the tucutuco and Reithrodon to pass over. The correspondence of the cliffs is far from proving any junction; because such cliffs generally are formed by the intersection of sloping deposits, which, before the elevation of the land, had been accumulated near the then existing shores. It is, however, a remarkable coincidence, that in the two large islands cut off by the Beagle Channel from the rest of Tierra del Fuego, one has cliffs composed of matter that may be called stratified alluvium, which front similar ones on the opposite side of the channel, —while the other is exclusively bordered by old crystalline rocks: in the former, called Navarin Island, both foxes and guanacos occur; but in the latter, Hoste Island, although similar in every respect, and only separated by a channel a little more than half a mile wide, I have the word of Jemmy Button for saying that neither of these animals are found.

The gloomy woods are inhabited by few birds: occasionally the plaintive note of a white-tufted tyrant-flycatcher (Myiobius albiceps) may be heard, concealed near the summit of the most lofty trees; and more rarely the loud strange cry of a black wood-pecker, with a fine scarlet crest on its head. A little, dusky-coloured wren (Scytalopus Magellanicus) hops in a skulking manner among the entangled mass of the fallen and decaying trunks. But the creeper (Oxyurus tupinieri) is the commonest bird in the country. Throughout the beech forests, high up and low down, in the most gloomy, wet, and impenetrable ravines, it may be met with. This little bird no doubt appears

Chimango (Milvago chimango)
Chimango caracara (Milvago chimango)

Caburé grande (Glaucidium nanum)
Austral pygmy owl (Glaucidium nanum)

insectos en cada ramita y rama. En las partes más abiertas se encuentran también tres o cuatro especies de pinzón, un estornino *(o Icterus)*, un tordo, dos *Opetiorhynchi*, y varios halcones y lechuzas.

La ausencia de toda clase de reptiles es una notable característica de esta tierra, así como de las Islas Falkland. No fundamento esta afirmación sólo en mi propia observación, sino en lo que escuché de labios de los españoles que habitaban en dichas islas, y de Jemmy Button en lo que se refiere a Tierra del Fuego. Vi una rana en las orillas del Santa Cruz a los 50° de latitud sur; y no es imposible que se encuentren animales de esta clase o lagartos hasta en latitudes tan meridionales como el Estrecho de Magallanes, pero no se los halla en absoluto en los parajes húmedos de Tierra del Fuego. Es fácil comprender que el clima no sea adecuado para algunos órdenes tales como el que incluye los lagartos, pero por lo que se refiere a la ausencia de ranas, la explicación no es tan sencilla.

more numerous than it really is, from its habit of following with seeming curiosity any person who enters these silent woods: continually uttering a harsh twitter, it flutters from tree to tree, within a few feet of the intruder's face. It is far from wishing for the modest concealment of the true creeper (Certhia familiaris); *nor does it, like that bird, run up the trunks of trees, but industriously, after the manner of a willow-wren, hops about, and searches for insects on every twig and branch. In the more open parts, three or four species of finches, a thrush, a starling* (or Icterus), *two* Opetiorhynchi, *and several hawks and owls occur.*

The absence of any species whatever in the whole class of Reptiles, is a marked feature in the zoology of this country, as well as in that of the Falkland Islands. I do not ground this statement merely on my own observation, but I heard it from the Spanish inhabitants of the latter place, and from Jemmy Button with regard to Tierra del Fuego. On the banks of the Santa Cruz, in 50 degs. south, I saw a frog; and it is not improbable that these animals, as

Se encuentran también escarabajos, aunque en número muy reducido. Pasó mucho tiempo antes de que pudiera creer que en un territorio tan grande como Escocia, cubierto de vegetación y con una variedad de medios biológicos, hubiera tan pocos escarabajos. Los pocos que encontré pertenecían a las especies alpinas *(Harpalidae* y *Heteronidae)* que viven bajo las piedras. Las *Chrysomelidae,* que son exclusivamente vegetarianas y son tan características de los trópicos, están casi por completo ausentes. (5) Vi muy pocas moscas, mariposas y abejas, y ningún grillo ni ortóptero. En los charcos de agua encontré sólo unos pocos escarabajos acuáticos y ninguna concha de agua dulce. La *Succinea* me pareció al principio la única excepción, pero en realidad debe considerársela como una concha terrestre, porque vive en la hierba húmeda. En cuanto a las conchas terrestres, sólo se las puede encontrar en las regiones de tipo alpino, lo mismo que a los escarabajos. Ya he puesto en evidencia el contraste entre el clima y el aspecto general de Tierra del Fuego por comparación con la Patagonia; esta diferencia es todavía más acentuada en lo que a la entomología se refiere. No creo que tengan ni una sola especie en común; el carácter general de los insectos es totalmente distinto en un territorio y otro.

Si después de estudiar la tierra, examinamos el mar, lo encontraremos tan rico en criaturas vivientes como es pobre la primera. En todas partes del mundo, una costa rocosa y algo protegida suele albergar, en un espacio determinado, mayor número de animales vivientes que cualquier otro medio. Sólo

well as lizards, may be found as far south as the Strait of Magellan, where the country retains the character of Patagonia; but within the damp and cold limit of Tierra del Fuego not one occurs. That the climate would not have suited some of the orders, such as lizards, might have been foreseen; but with respect to frogs, this was not so obvious.

Beetles occur in very small numbers: it was long before I could believe that a country as large as Scotland, covered with vegetable productions and with a variety of stations, could be so unproductive. The few which I found were alpine species (Harpalidae and Heteromidae) living under stones. The vegetable-feeding Chrysomelidae, so eminently characteristic of the Tropics, are here almost entirely absent; [5] I saw very few flies, butterflies, or bees, and no crickets or Orthoptera. In the pools of water I

Cachiyuyo (Macrocystis pyrifera) - *Giant kelp (Macrocystis pyrifera).*

(5) Me parece que debería exceptuar una *Altica* alpina, y un solo ejemplar de una *Melasoma.* Mr. Waterhouse me informa que hay ocho o nueve especies de *Harpalidae,* siendo las formas del mayor número muy peculiares; de *Heteromera,* cuatro o cinco especies; de *Rhyncophora* seis o siete; y de las siguientes familias una especie cada una: *Elateridae, Cebrionidae, Melolonthidae.* Los otros órdenes cuentan con menos especies. En todos los órdenes, la escasez de los individuos es aun más notable que la de las especies. La mayoría de las *Coleoptera* han sido cuidadosamente descritas por Mr. Waterhouse en *Annals of Nat. Hist.*

[5] I believe I must except one alpine Haltica, *and a single specimen of a* Melasoma. *Mr. Waterhouse informs me, that of the* Harpalidae *there are eight or nine species —the forms of the greater number being very peculiar; of* Heteromera, *four or five species; of* Rhyncophora, *six or seven; and of the following families one species in each:* Staphylinidae, Elateridae, Cebrionidae, Melolonthidae. *The species in the other orders are even fewer. In all the orders, the scarcity of the individuals is even more remarkable than that of the species. Most of the* Coleoptera *have been carefully described by Mr. Waterhouse in the* Annals of Nat. Hist.

un producto marino entre todos los que se encuentran en Tierra del Fuego merece una mención particular. Se trata del alga yodífera, o *Macrocystis pyrifera*. Esta planta crece sobre las rocas sumergidas, a gran profundidad o en aguas poco profundas, lo mismo en la costa abierta que en las orillas de los canales (6).

Creo que durante el viaje del *Adventure* y el *Beagle* no se vio una sola roca cerca de la superficie cuya posición no estuviera delatada por esta alga flotante que servía de boya. El buen servicio que estas plantas prestan a los barcos que navegan cerca de estas tierras es evidente, y muchos han evitado el naufragio gracias a ellas. Pocas cosas causan más sorpresa que ver a esta planta creciendo floreciente entre las enormes olas del Pacífico, a las que ni las rocas más duras pueden resistir por mucho tiempo. Su tallo es cilíndrico, viscoso y liso, y pocas veces alcanza un diámetro de una pulgada. Un puñado de ellas tiene fuerza suficiente para levantar las grandes piedras sueltas sobre las que crecen en el fondo de los canales interiores, pese a que algunas de esas piedras resultaron tan pesadas que, al ser arrojadas hacia la superficie, una sola persona apenas pudo izarlas al bote. El capitán Cook, en un segundo viaje, dice que en la tierra de Kerguelen esta planta crece a profundidades superiores a las 24 brazas, "y no crece en una dirección perpendicular, sino que forma un ángulo muy agudo con el fondo, y gran parte de ella después se extiende muchas brazas por la superficie del mar; no me equivoco si digo que algunas crecen hasta un largo de 60 brazas o más". Igual que el capitán Cook, dudo que haya en el mundo otra planta cuyo

found but a few aquatic beetles, and not any fresh-water shells: Succinea *at first appears an exception; but here it must be called a terrestrial shell, for it lives on the damp herbage far from the water. Land-shells could be procured only in the same alpine situations with the beetles. I have already contrasted the climate as well as the general appearance of Tierra del Fuego with that of Patagonia; and the difference is strongly exemplified in the entomology. I do not believe they have one species in common; certainly the general character of the insects is widely different.*

If we turn from the land to the sea, we shall find the latter as abundantly stocked with living creatures as the former is poorly so. In all parts of the world a rocky and partially protected shore perhaps supports, in a given space, a greater number of individual animals than any other station. There is one marine production which, from its importance, is worthy of a particular history. It is the kelp, or Macrocystis pyrifera. *This plant grows on every rock from low-water mark to a great depth, both on the outer coast and within the channels. [6] I believe, during the voyages of the* Adventure *and* Beagle, *not one rock near the surface was discovered which was not buoyed by this floating weed. The good service it thus affords to vessels navigating near this stormy land is evident; and it certainly has saved many a one from being wrecked. I know few things more surprising than to see this plant growing and flourishing amidst those great breakers of the western ocean, which no mass of rock, let it be ever so hard, can long resist. The stem is round, slimy, and smooth, and seldom has a diameter of so much as an inch. A few taken together are sufficiently strong to support*

(6) Su distribución geográfica es notablemente amplia; se la halla desde los islotes más al sur del Cabo de Hornos, hasta un punto tan tan septentrional de la costa oriental (según información que me proporcionó Mr. Stokes) como 43 grados. Sin embargo, el doctor Hooker me dice que en la costa occidental se extiende hasta el río San Francisco en California, y tal vez hasta Kamschatka. Así pues estamos ante una inmensa variación en latitud, y como Cook, quien conoce bien a la especie, la encontró en la tierra de Kerguelen, no menos de 140 grados de longitud.

[6] Its geographical range is remarkably wide; it is found from the extreme southern islets near Cape Horn, as far north on the eastern coast (according to information given me by Mr. Stokes) as lat. 43 degs., — but on the western coast, as Dr. Hooker tells me, it extends to the R. San Francisco in California, and perhaps even to Kamtschatka. We thus have an immense range in latitude; and as Cook, who must have been well acquainted with the species, found it at Kerguelen Land, no less than 140 degs. in longitude.

tallo alcance un largo mayor de 360 pies. El capitán Fitz Roy, además, la encontró creciendo (7) desde una profundidad mayor de 45 brazas. Los lechos de esta alga, aun cuando no son muy anchos, actúan como excelentes rompeolas flotantes naturales. Es curioso observar, en un puerto expuesto, cómo la altura de las olas que vienen del mar abierto va disminuyendo al cruzar la barrera formada por los tallos ralos, para convertirse en agua mansa.

Es maravilloso el número de criaturas vivientes de todos los órdenes cuya existencia depende íntimamente de esta planta. Podría escribirse un grueso tomo sobre los habitantes de uno de estos lechos de algas. Casi todas las hojas, excepto las que flotan en la superficie, están de manera tan densa cubiertas de coralinas que parecen de color blanco. Entre estas incrustaciones las hay delicadas en forma exquisita, y en ellas habitan simples pólipos parecidos a las hidras, o seres más organizados como la hermosa *Ascidia*. También en las hojas van agarradas varias conchas pateliformes, *Trochi*, moluscos sin concha y algunas bivalvas. Innumerables crustáceos frecuentan todas las partes de estas plantas. Al sacudir las grandes raíces enmarañadas de una de ellas, cayeron al suelo gran número de pececillos, conchas, calamares, cangrejos de todas clases, huevos de mar, estrellas marinas, bellos *Holuthuriae*, *Planariae*, y toda clase de bichos rastreros del género *Nereis*. Cada vez que he examinado una rama de esta alga, he encontrado invariablemente nuevas formas de vida, nuevos animales de estructura diversa. En Chiloé, donde esta alga no se da con frecuencia, hay mucho menos crustáceos, conchas y coralinas; sin embargo, todavía se encuentran unos pocos *Flustraceae*, y algunas *Ascidiae*

the weight of the large loose stones, to which in the inland channels they grow attached; and yet some of these stones were so heavy that when drawn to the surface, they could scarcely be lifted into a boat by one person. Captain Cook, in his second voyage, says, that this plant at Kerguelen Land rises from a greater depth than twenty-four fathoms; "and as it does not grow in a perpendicular direction, but makes a very acute angle with the bottom, and much of it afterwards spreads many fathoms on the surface of the sea, I am well warranted to say that some of it grows to the length of sixty fathoms and upwards". I do not suppose the stem of any other plant attains so great a length as three hundred and sixty feet, as stated by Captain Cook. Captain Fitz Roy, moreover, found it growing [7] up from the greater depth of forty-five fathoms. The beds of this sea-weed, even when of not great breadth, make excellent natural floating breakwaters. It is quite curious to see, in an exposed harbour, how soon the waves from the open sea, as they travel through the straggling stems, sink in height, and pass into smooth water.

The number of living creatures of all Orders, whose existence intimately depends on the kelp, is wonderful. A great volume might be written, describing the inhabitants of one of these beds of sea-weed. Almost all the leaves, excepting those that float on the surface, are so thickly incrusted with corallines as to be of a white colour. We find exquisitely delicate structures, some inhabited by simple hydra-like polypi, others by more organized kinds, and beautiful compound Ascidiae. On the leaves, also, various patelliform shells, Trochi, uncovered molluscs, and

---

(7) Viajes del *Adventure* y *Beagle*, vol. 1. p. 363. Parece que la alga crece muy rápidamente. Mr. Stephenson vio (*Wilson's Voyage round Scotland*, vol. ii. p. 228) que una roca que había sido limpiada con cincel en noviembre y que quedó descubierta por el agua recién durante las mareas de primavera, ostentaba en mayo –es decir, seis meses después– una cobertura espesa de *Fucus digitatus* de dos pies de largo y una de *F. esculentus* de seis pies.

[7] *Voyages of the* Adventure and Beagle, *vol. i. p. 363. It appears that sea-weed grows extremely quick. Mr. Stephenson found (*Wilson's Voyage round Scotland, vol. ii. p. 228) that a rock uncovered only at spring-tides, which had been chiselled smooth in November, on the following May, that is, within six months afterwards, was thickly covered with* Fucus digitatus *two feet, and* F. esculentus *six feet, in length.*

compuestas; no obstante, estas últimas son de especies distintas a las de Tierra del Fuego. Aquí vemos que esta especie de *Fucus* tiene una zona de distribución mayor que la de los animales que viven en ella. Así pues, estas plantas constituyen focos de vida sin igual. Sólo puedo comparar estos grandes bosques acuáticos del hemisferio sur, con las selvas terrestres de las regiones intertropicales. Incluso suponiendo que se destruyese una selva, no creo que perecieran tantos seres vivientes como si desapareciese esta especie de alga. Entre las hojas de esta planta viven numerosas especies de peces que no podrían encontrar sustento ni refugio en ningún otro lugar. Como consecuencia de su desaparición, pronto perecerían también los numerosos cormoranes y otras aves pescadoras, las nutrias, las focas y los delfines, y finalmente los fueguinos salvajes, amos miserables de esta miserable tierra, se verían obligados a entregarse de pleno al canibalismo, la raza empezaría a disminuir y hasta tal vez desaparecería por completo.

8 DE JUNIO

Levamos anclas a primera hora de la mañana y abandonamos Port Famine. El capitán Fitz Roy decidió dejar el estrecho de Magallanes por el Canal de la Magdalena, recién descubierto. Poníamos rumbo hacia el sur, por ese sombrío paso que mencioné antes, que parecía llevar a otro mundo, uno peor. El viento era favorable, pero la bruma nos hizo perder buena parte del curioso paisaje. Con rapidez, el viento llevó las nubes oscuras y rasgadas a las montañas, desde sus cumbres casi hasta sus bases. Las breves observaciones que logramos a través de la masa oscura fueron muy interesantes;

some bivalves are attached. Innumerable crustacea frequent every part of the plant. On shaking the great entangled roots, a pile of small fish, shells, cuttle-fish, crabs of all orders, sea-eggs, star-fish, beautiful Holuthuriae, Planariae, and crawling nereidous animals of a multitude of forms, all fall out together.

cumbres dentadas, conos nevados, glaciares azules y perfiles recortados contra un cielo ominoso se vieron a diferentes distancias y alturas. En medio de este paisaje anclamos en Cabo Turn, junto al Monte Sarmiento que en ese momento estaba cubierto por las nubes. En la base de los altos y casi perpendiculares acantilados que formaban nuestra pequeña caleta había un *wigwam* desierto, suficiente para recordarnos que alguna vez el hombre puso pie en estas desoladas regiones. Pero sería difícil imaginar un escenario donde él parecería tener menos pretensiones y autoridad. Aquí las obras inanimadas de la naturaleza –las rocas, el hielo, la nieve, el viento y el agua– aunque luchaban entre sí, se oponían todas ellas al hombre, y eran las únicas que reinaban con absoluta soberanía.

9 DE JUNIO

Por la mañana, nos deleitamos con el espectáculo de ver levantarse lentamente el velo de niebla que nos ocultaba el Monte Sarmiento, hasta dejarlo expuesto a nuestra vista. Esta montaña, que es una de las más altas de Tierra del Fuego, tiene una altura de 6.800 pies. En su base, hasta una altura que equivale a la octava parte de su elevación total, está cubierta por espesos bosques, por encima de los cuales se extiende el blanco sudario de las nieves hasta la cumbre. Esos enormes montones de nieve que nunca llegan a fundirse y parecen destinados a permanecer allí hasta el fin del mundo, ofrecen un espectáculo noble y hasta sublime. La silueta de la montaña estaba admirablemente clara y definida. Debido a la abundancia de luz producida por su reflexión en la nieve, no había sombras en ninguna

Often as I recurred to a branch of the kelp, I never failed to discover animals of new and curious structures. In Chiloe, where the kelp does not thrive very well, the numerous shells, corallines, and crustacea are absent; but there yet remain a few of the Flustraceae, and some compound Ascidiae; the latter, however, are of different species from those in Tierra del Fuego: we see here the fucus possessing a wider range than the animals which use it as an abode. I can only compare these great aquatic forests of the southern hemisphere with the terrestrial ones in the intertropical regions. Yet if in any country a forest was destroyed, I do not believe nearly so many species of animals would perish as would here, from the destruction of the kelp. Amidst the leaves of this plant numerous species of fish live, which nowhere else could find food or shelter; with their destruction the many cormorants and other fishing birds, the otters, seals, and porpoises, would soon perish also; and lastly, the Fuegian savage, the miserable lord of this miserable land, would redouble his cannibal feast, decrease in numbers, and perhaps cease to exist.

JUNE 8th

We weighed anchor early in the morning and left Port Famine. Captain Fitz Roy determined to leave the Strait of Magellan by the Magdalen Channel, which had not long been discovered. Our course lay due south, down that gloomy passage which I have before alluded to as appearing to lead to another and worse world. The wind was fair, but the atmosphere was very thick; so that we missed much curious scenery. The dark ragged clouds were rapidly driven

parte y sólo podían distinguirse las líneas que se recortaban contra el cielo; de esta forma la masa de la montaña adquirió un relieve impresionante. Varios glaciares descendían desde la cumbre hasta la orilla del mar; podría comparárselos con enormes Niágaras congelados, y es muy probable que estas cataratas de hielo sean tan bellas como las de agua, que se mueven. Al anochecer llegamos a la parte occidental del canal, pero el agua era tan profunda que no pudimos encontrar donde echar anclas. Por consiguiente, tuvimos que mantenernos atentos

over the mountains, from their summits nearly down to their bases. The glimpses which we caught through the dusky mass were highly interesting; jagged points, cones of snow, blue glaciers, strong outlines, marked on a lurid sky, were seen at different distances and heights. In the midst of such scenery we anchored at Cape Turn, close to Mount Sarmiento, which was then hidden in the clouds. At the base of the lofty and almost perpendicular sides of our little cove there was one deserted wigwam, and it alone reminded us that man sometimes wandered into

Monte Sarmiento - *Mount Sarmiento*

Monte Sarmiento - *Mount Sarmiento*

y a una distancia prudente de las orillas de este angosto brazo del mar, durante una noche oscura que duró 14 horas.

10 DE JUNIO

Por la mañana nos adentramos por el océano Pacífico. La costa occidental consiste por lo general en una sucesión de colinas graníticas de poca altura y de formas redondeadas. Sir. J. Narborough llamaba a una de aquellas zonas "Desolación Sur", porque es en verdad una tierra desolada. Aparte de las islas principales, hay numerosos escollos y rocas menores en los que el océano quiebra su furia invencible. Pasamos entre las Furias Orientales y las Occidentales. Un poco más hacia el norte, existen tantas rompientes que en aquel punto el mar recibe el nombre de Vía Láctea. Una mirada a esta

these desolate regions. But it would be difficult to imagine a scene where he seemed to have fewer claims or less authority. The inanimate works of nature —rock, ice, snow, wind, and water— all warring with each other, yet combined against man — here reigned in absolute sovereignty.

JUNE 9th

In the morning we were delighted by seeing the veil of mist gradually rise from Sarmiento, and display it to our view. This mountain, which is one of the highest in Tierra del Fuego, has an altitude of 6800 feet. Its base, for about an eighth of its total height, is clothed by dusky woods, and above this a field of snow extends to the summit. These vast piles of snow, which never melt, and seem destined to last as long as the world holds together, present a noble

costa basta para inspirar a un hombre de tierra, una semana entera con sueños de naufragios, peligros y muerte, y con esta mirada dimos el adiós definitivo a Tierra del Fuego.

ACERCA DE LA ALTITUD DE LA LÍNEA DE LAS NIEVES, Y DEL DESCENSO DE LOS GLACIARES EN AMÉRICA DEL SUR.

Para las fuentes de referencia de la siguiente tabla, véase la primera edición:

Como la altura de la zona de nieves perpetuas al parecer viene determinada por la temperatura máxima de verano, más bien que por la temperatura media del año, no debe sorprendernos que en el Estrecho de Magallanes, donde el verano es frío, descienda hasta sólo 3.500 o 4.000 pies sobre el nivel del mar; sin embargo, en Noruega debemos llegar hasta los 67 y 70° de latitud norte, o sea a unos 14° más cerca de del Polo, para encontrar nieves perpetuas a ese nivel tan bajo. La diferencia de altura (unos 9.000 pies), entre el límite de las nieves en la cordillera detrás de Chiloé (con sus niveles más altos entre sólo los 5.600 y 7.500 pies) y Chile central (1) (una distancia de sólo 9° de latitud), es en realidad asombrosa. La tierra que se extiende desde el sur de Chiloé hasta cerca de Concepción (latitud 37°) está oculta bajo una frondosa selva que crece en la humedad. El cielo es nublado y ya

Latitud	Altitud en pies de la línea de nieves	Observador
Región ecuatorial; media	15.748	Humboldt
Bolivia, lat. 16 a 18° S	17.000	Pentland
Chile central, lat. 33° S	14.500 a 15.500	Guillies y el Autor
Chiloé, lat. 41 a 43° S	6.000	Oficiales del *Beagle* y el Autor
Tierra del Fuego, 54° S	3.500 a 4.000	King

and even sublime spectacle. The outline of the mountain was admirably clear and defined. Owing to the abundance of light reflected from the white and glittering surface, no shadows were cast on any part; and those lines which intersected the sky could alone be distinguished: hence the mass stood out in the boldest relief. Several glaciers descended in a winding course from the upper great expanse of snow to the sea-coast: they may be likened to great frozen Niagaras; and perhaps these cataracts of blue ice are full as beautiful as the moving ones of water. By night we reached the western part of the channel; but the water was so deep that no anchorage could be found. We were in consequence obliged to stand off and on in this narrow arm of the sea, during a pitch-dark night of fourteen hours long.

JUNE 10th

In the morning we made the best of our way into the open Pacific. The western coast generally consists of low, rounded, quite barren hills of granite and greenstone. Sir J. Narborough called one part South Desolation, because it is "so desolate a land to behold" and well indeed might he say so. Outside the main islands, there are numberless scattered rocks on which the long swell of the open ocean incessantly rages. We passed out between the East and West Furies; and a little farther northward there are so many breakers that the sea is called the Milky Way. One sight of such a coast is enough to make a landsman dream for a week about shipwrecks, peril, and death; and with this sight we bade farewell for ever to Tierra del Fuego.

hemos visto qué poco prosperan allí las frutas propias de la Europa meridional. En Chile central, en cambio, un poco al norte de Concepción, el cielo está por lo general despejado, no llueve durante los siete meses del verano y los frutos del Mediodía europeo prosperan a maravilla; hasta se ha cultivado allá la caña de azúcar (2). Sin duda el plano de nieves perpetuas experimenta la enorme diferencia de 9.000 pies (sin igual en todo el mundo), no lejos de la latitud de Concepción, porque en aquel punto la tierra deja de parecer cubierta de bosque, y los árboles, en América del Sur, indican un clima lluvioso, y la lluvia un cielo nublado y poco calor en verano.

El descenso de los glaciares hasta el mar se debe, en mi opinión (y dependiendo siempre del aporte de nueva nieve a las cumbres), a la baja situación del límite de las nieves perpetuas en las laderas escarpadas de las montañas próximas a la costa. Teniendo en cuenta que el límite de las nieves es tan bajo en Tierra del Fuego, era de suponer que muchos glaciares alcanzarían el mar. Sin embargo, quedé asombrado al observar que por todos los valles de una sierra de sólo 3.000 a 4.000 pies de altura (en la latitud de Cumberland) descendían corrientes de hielo hacia el mar. Casi todos los brazos de mar que penetran en el interior, no sólo en Tierra del Fuego sino también 650 millas hacia el norte, terminan con "tremendos y asombrosos glaciares", como los describe uno de los oficiales de servicio. Grandes masas de hielo caen con frecuencia de esos acantilados y el estrépito

(1) En la cordillera de Chile central, creo que la línea de nieve varía mucho en altura según el verano. Me dijeron que durante un verano muy seco y largo, el cerro Aconcagua quedó totalmente sin nieve, pese a su altura de 23.000 pies. Es posible que gran parte de la nieve, a alturas tan grandes como ésta, se evapora en lugar de fundirse.
(2) Miers's Chile, vol. 1. p. 415. Se dice que la caña de azúcar se cultivaba en Ingenio, lat. 32º a 33º, pero no con un volumen suficiente para hacer rentable la manufactura. En el valle de Quillota, al sur de Ingenio, vi algunas palmeras datileras.

On the Height of the Snow-line, and on the Descent of the Glaciers in South America.

For the detailed authorities for the following table, I must refer to the former edition:

Latitude	Height in feet of Snow-line	Observer
Equatorial region; mean result	15.748	Humboldt
Bolivia, lat. 16 to 18 degs. S	17.000	Pentland
Central Chile, lat. 33 degs. S	14.500 to 15.500	Guillies, and the Author
Chiloé, lat. 41 to 43 degs. S	6.000	Officers of the *Beagle* and the Author
Tierra del Fuego, degs. 54 S	3.500 to 4.000	King

As the height of the plane of perpetual snow seems chiefly to be determined by the extreme heat of the summer, rather than by the mean temperature of the year, we ought not to be surprised at its descent in the Strait of Magellan, where the summer is so cool, to only 3500 or 4000 feet above the level of the sea; although in Norway, we must travel to between lat. 67 and 70 degs. N., that is, about 14 degs. nearer the pole, to meet with perpetual snow at this low level. The difference in height, namely, about 9000 feet, between the snow-line on the Cordillera behind Chiloe (with its highest points ranging from only 5600 to 7500 feet) and in central Chile [1] (a distance of only 9 degs. of latitude), is truly wonderful. The land from the southward of Chiloe to near Concepcion (lat. 37 degs.) is hidden by one dense forest dripping with moisture. The sky is cloudy, and we have seen how badly the fruits of southern Europe succeed. In central Chile, on the other hand, a little northward of Concepcion, the sky is generally clear, rain does not fall for the seven

[1] On the Cordillera of central Chile, I believe the snow-line varies exceedingly in height in different summers. I was assured that during one very dry and long summer, all the snow disappeared from Aconcagua, although it attains the prodigious height of 23,000 feet. It is probable that much of the snow at these great heights is evaporated rather than thawed.

retumba como la salva de un buque de guerra en los canales solitarios. Estos derrumbamientos provocan grandes oleadas que van a romper en las costas vecinas. Ya es sabido que los terremotos provocan la caída de grandes masas de tierra de los acantilados marinos, entonces ¡cómo será el resultado de un temblor fuerte (como los que se producen (3) en esas tierras) sobre un glaciar, ya en movimiento y atravesado por fisuras! Me imagino que el agua sería expelida del canal más profundo para luego retornar con una fuerza arrolladora, revolviendo enormes masas rocosas como si fueran paja.

En el estrecho de Eyre, a la misma latitud de París, se encuentran inmensos glaciares, y sin embargo la montaña más alta de las proximidades sólo tiene 6.200 pies de altura. En ese estrecho se vieron en cierta ocasión 50 icebergs que flotaban en dirección a alta mar, uno de los cuales tendría una altura mínima de 168 pies. Algunos de los icebergs navegaban cargados con bloques de tamaño considerable, de rocas graníticas y de otras clases, distintas de la caliza arcillosa de las montañas de los alrededores. El glaciar más alejado del Polo que vimos durante los viajes del *Adventure* y el *Beagle*, se encuentra a los 46° 50' de latitud, en el golfo de Penas. Tiene 15 millas de longitud, y hasta siete de ancho en un punto determinado, y desciende hasta la costa. Pero pocas millas más al norte de este glaciar, todavía unos misioneros españoles (4) encontraron en la laguna de San Rafael "muchos icebergs, algunos grandes, algunos pequeños, y otros de tamaño mediano" en un estrecho brazo de mar, el día 22 del mes que corresponde a nuestro junio, ¡y en la misma latitud del lago de Ginebra!

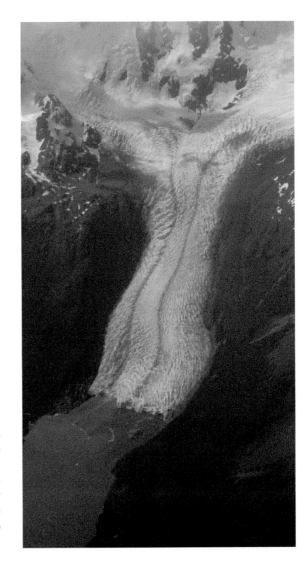

(3) *Bulkeley's and Cummin's Faithful Narrative of the Loss of the Wager.* El terremoto fue el 25 de agosto de 1741.
(4) Agueros, *Desc. Hist. De Chiloé*, p. 227.

En Europa, el glaciar más meridional que desciende hasta el mar, según von Buch, se encuentra en la costa noruega, a los 67° de latitud. Este punto se encuentra a 20° de latitud, o sea 1.230 millas más cerca del Polo que la laguna de San Rafael. La posición de los glaciares en este lugar y en el golfo de Penas puede ponerse todavía más de relieve si se tiene en cuenta que a 7,5° de latitud, o sea 450 millas, del lugar donde se encuentran, existe un puerto donde crecen tres especies de *Oliva*, una *Voluta* y una *Terebra*, así como las conchas más comunes, a menos de 9° se encuentran palmeras, a 4,5° se extiende una región donde el jaguar y el puma corren por las llanuras, a menos de 2,5° hay hierbas arborescentes, y (mirando hacia el oeste en el mismo hemisferio), a menos de 2° crecen orquídeas parásitas, y a menos de un grado helechos arborescentes.

summer months, and southern European fruits succeed admirably; and even the sugar-cane has been cultivated. [2] No doubt the plane of perpetual snow undergoes the above remarkable flexure of 9000 feet, unparalleled in other parts of the world, not far from the latitude of Concepcion, where the land ceases to be covered with forest-trees; for trees in South America indicate a rainy climate, and rain a clouded sky and little heat in summer.

The descent of glaciers to the sea must, I conceive, mainly depend (subject, of course, to a proper supply of snow in the upper region) on the lowness of the line of perpetual snow on steep mountains near the coast. As the snow-line is so low in Tierra del Fuego, we might have expected that many of the glaciers would have reached the sea. Nevertheless, I was astonished when I first saw a range, only from 3000 to 4000

[2] Miers's Chile, vol. i. p. 415. It is said that the sugar-cane grew at Ingenio, lat. 32 to 33 degs., but not in sufficient quantity to make the manufacture profitable. In the valley of Quillota, south of Ingenio, I saw some large date palm trees.

Estos hechos tienen un enorme interés geológico con respecto al clima del hemisferio norte en el período en que las grandes masas de piedra fueron transportadas. No explicaré aquí con detalle con qué sencillez la teoría de los icebergs cargados de rocas explica el origen y la posición de las gigantescas masas de piedra en Tierra del Fuego oriental, en las altiplanicies de Santa Cruz, y en Chile. En Tierra del Fuego, la mayoría de esos peñascos yacen en antiguos brazos de mar, secados como consecuencia de la elevación de la Tierra. Están asociados con una gran formación no estratificada de barro y arena, que contiene fragmentos redondeados y angulares de todos los tamaños, que tuvo su origen (5) en la repetida remoción del fondo del mar ocasionada por el varamiento de icebergs, y por los materiales transportados por ellos. Son pocos los geólogos que en la actualidad dudan de que los peñascos erráticos que yacen cerca de las altas montañas han sido arrastrados por los glaciares mismos, y que los que se encuentran lejos de las montañas y enterrados en depósitos marinos fueron transportados por antiguos icebergs o congelados en hielo en la costa. La relación entre el transporte de rocas y la presencia de hielo en alguna forma, queda demostrada con toda evidencia por su distribución geográfica en la Tierra. En América del Sur, no se les encuentra más allá de los 48° de latitud, medidos desde el Polo Sur; en América del Norte, al parecer, el límite de los transportes de rocas se extiende hasta 53,5° del Polo Norte. ¡En cambio, en Europa no sobrepasa los 40°, medidos desde el mismo punto de referencia! Por otra parte, en las regiones intertropicales de América, Asia y Africa,

feet in height, in the latitude of Cumberland, with every valley filled with streams of ice descending to the sea-coast. Almost every arm of the sea, which penetrates to the interior higher chain, not only in Tierra del Fuego, but on the coast for 650 miles northwards, is terminated by "tremendous and astonishing glaciers", as described by one of the officers on the survey. Great masses of ice frequently fall from these icy cliffs, and the crash reverberates like the broadside of a man-of-war through the lonely channels. These falls, as noticed in the last chapter, produce great waves which break on the adjoining coasts. It is known that earthquakes frequently cause masses of earth to fall from sea-cliffs: how terrific, then, would be the effect of a severe shock (and such occur here [3]) on a body like a glacier, already in motion, and traversed by fissures! I can readily believe that the water would be fairly beaten back out of the deepest channel, and then, returning with an overwhelming force, would whirl about huge masses of rock like so much chaff. In Eyre's Sound, in the latitude of Paris, there are immense glaciers, and yet the loftiest neighbouring mountain is only 6200 feet high. In this Sound, about fifty icebergs were seen at one time floating outwards, and one of them must have been at least 168 feet in total height. Some of the icebergs were loaded with blocks of no inconsiderable size, of granite and other rocks, different from the clay-slate of the surrounding mountains. The glacier furthest from the pole, surveyed during the voyages of the Adventure and Beagle, is in lat. 46 degs. 50', in the Gulf of Penas. It is 15 miles long, and in one part 7 broad and descends to the sea-coast. But even a few miles northward of this glacier, in

(5) *Geological Transactions*, vol. vi. p. 415.

[3] Bulkeley's and Cummin's Faithful Narrative of the Loss of the Wager. *The earthquake happened August 25, 1741.*

nunca se ha podido observar este fenómeno, lo mismo que en el Cabo de Buena Esperanza y en Australia (6).

Laguna de San Rafael, some Spanish missionaries [4] encountered "many icebergs, some great, some small, and others middle-sized," in a narrow arm of the sea, on the 22nd of the month corresponding with our June, and in a latitude corresponding with that of the Lake of Geneva !

In Europe, the most southern glacier which comes down to the sea is met with, according to Von Buch, on the coast of Norway, in lat. 67 degs. Now, this is more than 20 degs. of latitude, or 1230 miles, nearer the pole than the Laguna de San Rafael. The position of the glaciers at this place and in the Gulf of Penas may be put even in a more striking point of view, for they descend to the sea-coast within 7.5 degs. of latitude, or 450 miles, of a harbour, where three species of Oliva, *a* Voluta, *and a* Terebra, *are the commonest shells, within less than 9 degs. from where palms grow, within 4.5 degs. of a region where the jaguar and puma range over the plains, less than 2.5 degs. from arborescent grasses, and (looking to the westward in the same hemisphere) less than 2 degs. from orchideous parasites, and within a single degree of tree-ferns!*

These facts are of high geological interest with respect to the climate of the northern hemisphere at the period when boulders were transported. I will not here detail how simply the theory of icebergs being charged with fragments of rock, explain the origin and position of the gigantic boulders of eastern Tierra del Fuego, on the high plain of Santa Cruz, and on the island of Chiloe. In Tierra del Fuego, the greater number of boulders lie on the lines of old sea-channels, now converted into dry valleys by the elevation of the land. They are associated with a great unstratified formation of mud and sand,

(6) He tratado este tema en la primera edición (es la primera vez que se publica sobre él, según creo), y en su Apéndice. Allí demuestro que las excepciones aparentes a la ausencia de rocas erráticas en ciertas regiones se deben a observaciones erróneas. Varias declaraciones allí hechas, posteriormente fueron confirmadas por varios autores.

[4] Agueros, Desc. Hist. de Chiloe, *p. 227.*

containing rounded and angular fragments of all sizes, which has originated [5] in the repeated ploughing up of the sea-bottom by the stranding of icebergs, and by the matter transported on them. Few geologists now doubt that those erratic boulders which lie near lofty mountains have been pushed forward by the glaciers themselves, and that those distant from mountains, and embedded in subaqueous deposits, have been conveyed thither either on icebergs or frozen in coast-ice. The connection between the transportal of boulders and the presence of ice in some form, is strikingly shown by their geographical distribution over the earth. In South America they are not found further than 48 degs. of latitude, measured from the southern pole; in North America it appears that the limit of their transportal extends to 53.5 degs. from the northern pole; but in Europe to not more than 40 degs. of latitude, measured from the same point. On the other hand, in the intertropical parts of America, Asia, and Africa, they have never been observed; nor at the Cape of Good Hope, nor in Australia. [6]

[5] Geological Transactions, *vol. vi. p. 415.*
[6] *I have given details (the first, I believe, published) on this subject in the first edition, and in the Appendix to it. I have there shown that the apparent exceptions to the absence of erratic boulders in certain countries, are due to erroneous observations; several statements given there I have since found confirmed by various authors.*

AGRADECIMIENTOS

Quiero agradecer especialmente a quienes colaboraron conmigo para que pudiera fotografiar ciertos lugares recorridos por Darwin. En especial a Pablo Walker, director de la Oficina de Turismo de Puerto San Julián y entusiasta de la historia patagónica. También a la Dirección de Turismo de la provincia de Santa Cruz y a la Dirección de Turismo de Puerto Santa Cruz. Un reconocimiento al Museo del Fin del Mundo de Ushuaia por permitirme reproducir fotos de su archivo sobre los yámanas (Mission Scientifique du Cap Horn) y sobre el Beagle para esta obra y a la empresa chilena Cruceros Australis, propietaria de la nave Mare Australis.

Oscar Medina nos ayudó con algunas traducciones.

Gracias también a mi esposa Milagros quien me acompañó por tierra y por agua (hasta el mismo Cabo de Hornos) en busca de las huellas de Darwin.

Finalmente agradezco a quienes cedieron las imágenes de las páginas 172 y 173 (Luis Turi) y 135 (Mare Australis).

ACKNOWLEDGEMENTS

I wish to thank all those who made it possible for me to get to and photograph certain places described by Darwin. Special thanks go to Pablo Walker, Puerto San Julián Tourist Office director and a Patagonian history enthusiast; the Santa Cruz Province Tourism Undersecretariat; the Puerto Santa Cruz Tourist Board; the End of the World Museum in Ushuaia for having allowed me to reproduce photos from their archive on the Yamanas (Mission Scientifique du Cap Horn) and on the Beagle for this book; and the Chilean cruise line Cruceros Australis, owner of the Mare Australis.

Oscar Medina helped us with some translations.

Thanks too to my wife Milagros for having accompanied me on land and sea (to Cape Horn itself) in search of the places where Darwin set foot.

Finally, my thanks to Luis Turi for having loaned the images on pages 172 and 173, and Mare Australis for the one on page 135.

ALGUNAS DIRECCIONES Y CONTACTOS ÚTILES PARA SEGUIR LAS HUELLAS DE DARWIN EN LA PATAGONIA

SOME USEFUL ADDRESSES AND CONTACTS FOR FOLLOWING IN DARWIN'S FOOTSTEPS IN PATAGONIA

ARGENTINA
Provincia de Santa Cruz

Subsecretaría de Turismo
www.scruz.gov.ar/turismo/

Darwin Expediciones
www.darwin-expeditions.com

Provincia de Tierra del Fuego

Secretaría de Turismo
www.tierradelfuego.org.ar

Nido de Cóndores
www.nidodecondoresush.com.ar

CHILE
Punta Arenas (XII Región de Magallanes y Antártica Chilena)

Cruceros Australis
www.australis.com

ARGENTINA
Santa Cruz Province

Tourism Undersecretariat.
www.scruz.gov.ar/turismo/

Darwin Expediciones
www.darwin-expeditions.com

Tierra del Fuego Province

Tourism Secretariat
www.tierradelfuego.org.ar

Nido de Cóndores
www.nidodecondoresush.com.ar

CHILE
Punta Arenas (XII Region of Magallanes and Chilean Antarctica)

Cruceros Australis:
www.australis.com

APÉNDICE

El siguiente texto está tomado del segundo volumen de la obra del Capitán Robert Fitz Roy, Narrative of the surveying voyages of HMS *Adventure* and *Beagle* (Relato de los viajes de exploración de las naves HMS *Adventure* y HMS *Beagle*), Londres, 1839.

Cuando se decidió que había que enviar una pequeña embarcación a Tierra del Fuego, se recurrió al Hidrógrafo del Almirantazgo para que diera su opinión sobre los estudios complementarios que pudiera considerar necesarios para concluir el relevamiento de esa región y otros lugares donde el *Beagle* efectuara reconocimientos.

El Capitán Beaufort aprovechó la oportunidad para expresar sus ansias de continuar con los llamados Relevamientos de América del Sud, y para mencionar tales objetivos que podía cumplir el Beagle, puesto que los consideró sumamente deseables: enseguida advertí de que el viaje podía insumir varios años. Deseoso de aportar lo más posible a una labor en la que yo tenía un gran interés, y abrigando la esperanza de que una sucesión de apartamientos meridianos pudiera trazarse alrededor del mundo si regresábamos a Inglaterra a través del Pacífico por el Cabo de Buena Esperanza, resolví no ahorrar ni gastos ni esfuerzos en tornar nuestra Expedición lo más completa, con respecto al material y preparación, como mis medios y esfuerzos lo permitieran, al contar con el considerado y satisfactorio apoyo del Almirantazgo; que fue proporcionado (en aquellas circunstancias) por la

APPENDIX

The text that follows is taken from the second volume of Captain Robert Fitz Roy's Narrative of the surveying voyages of HMS Adventure *and* Beagle, *London, 1839.*

When it was decided that a small vessel should be sent to Tierra del Fuego, the Hydrographer of the Admiralty was referred to for his opinion, as to what addition she might make to the yet incomplete surveys of that country, and other places which she might visit.

Captain Beaufort embraced the opportunity of expressing his anxiety for the continuance of the South American Surveys, and mentioning such objects, attainable by the Beagle, *as he thought most desirable: and it was soon after intimated to me that the voyage might occupy several years. Desirous of adding as much as possible to a work in which I had a strong interest, and entertaining the hope that a chain of meridian distances might be carried round the world if we returned to England across the Pacific, and by the Cape of Good Hope; I resolve to spare neither expense nor trouble in making our little Expedition as complete, with respect to material and preparation, as my means and exertions would allow, when supported by the considerate and satisfactory arrangements of the Admiralty: which were carried into effect (at that time) by the Navy Board, the Victualling Board, and the Dockyard officers at Devonport.*

The Beagle *was commissioned on the 4th of July 1831 and was immediately taken into dock to be thoroughly examined, and prepared for a long*

Junta Naval, la Junta de Aprovisionamiento y los oficiales de arsenal de Devonport.

El 4 de julio de 1831 fue comisionado el *Beagle* y de inmediato llevado a dique para ser examinado con minuciosidad y preparado para un prolongado lapso de servicio de ultramar. Puesto que la nave requería un nuevo puente y reparaciones en la obra muerta, obtuve permiso para que el puente superior fuera elevado considerablemente*; algo que más tarde resultó de gran ventaja para las exigencias de navegación marítima del navío, además del aporte de comodidades materiales para todo el personal de a bordo. Durante el tiempo en que la nave estuvo en el dique, se fijó mediante clavos al fondo de ella un tablón de abeto de dos pulgadas de espesor, sobre el cual se montó un revestimiento de fieltro y, encima, una plancha de cobre. Este forro añadió unas 15 toneladas al desplazamiento de la nave y unas siete a su arqueo real. Por lo tanto, en lugar de un desplazamiento de 235, la nave podía considerarse que tenía 242 toneladas. Al timón se le montó, según lo previsto en el plan del Capitán Lihou: un molinete de patente en lugar de un cabrestante; una cocina Frazer con horno incluido -en lugar de un fogón común de galera-, y los pararrayos inventados por Mr. Harris se instalaron en todos los mástiles, en el bauprés, e incluso en el botalón de petifoque. Los trabajos en estas instalaciones, tanto dentro como fuera, realizados por los oficiales del arsenal naval, no dejaron nada que desear. Nuestras jarcias, velas y perchas fueron las mejores que se podían conseguir, y para completar nuestro excelente armamento, se construyeron especialmente para nosotros seis magníficos botes**

period of foreign service. As she required a new deck, and a good deal of repair about the upper works, I obtained permission to have the upper-deck raised considerably, which afterwards proved to be of the greatest advantage to her as a sea boat besides adding so materially to the comfort of all on board. While in dock, a sheathing of 2-inch fir plank was nailed on the vessel's bottom, over which was a coating of felt, and then new copper. This sheathing added about 15 tons to her displacement , and nearly 7 to her actual measurement. Therefore, instead of 235 tons, she might be considered about 242 tons burthen. The rudder was fitted according to the plan of Captain Lihou: a patent windlass supplied the place of a capstam: one of Frazer's stoves, with an oven attached, was taken instead of a common "galley" fireplace; and the lightning-conductors, invented by Mr Harris, were fixed in all the masts, the bowsprit, and even in the flying jib-boom. The arrangements made in the fittings, both inside and outside, by the officers of the Dock-yard, left nothing to be desired. Our ropes, sails, and spars, were the best that could be procured; and to complete our excellent outfit, six superior boats ** (two of them private property) were built expressly for us, and so contrived and stowed that they could all be carried in any weather.*

Considering the limited disposable space in so very small a ship, we contrived to carry more instruments and books than one would readily suppose could be stowed away in dry and secure places; and in part of my own cabin twenty-two chronometers were carefully placed.

* Ocho pulgadas por la cara de popa y doce en la proa.
** Además de un chinchorro transportado en la popa.

* *Eight inches abaft and twelve forward.*
** *Besides a dinghy carried astern.*

(dos de ellos de propiedad privada), que estaban dispuestos y estibados de tal manera que podían transportarse en cualesquiera condiciones meteorológicas.

Considerando el limitado espacio disponible en una nave tan pequeña, logramos llevar a bordo más instrumentos y libros de los que se podría suponer fuera posible estibarse en sitios secos y seguros; en parte de mi propio camarote ubicamos en forma ordenada veintidós cronómetros.

Ansioso de que no se perdiera ninguna oportunidad de reunir información útil durante el viaje, propuse al Hidrógrafo que se buscara alguna persona ilustrada y versada en las ciencias con la que yo compartiría el alojamiento de que dispusiera, a fin de aprovechar la oportunidad de visitar tierras remotas todavía poco conocidas. El Capitán Beaufort aprobó mi sugerencia y le escribió al Profesor Peacock, de Cambridge, quien consultó a un amigo, el Profesor Henslow, y nombró a Mr. Charles Darwin, nieto del Dr Darwin el poeta, como un joven de prometedores talentos, muy atraído por la geología y por cierto por todas las ramas de la historia natural. En consecuencia, se ofreció a Mr. Darwin que fuera mi huésped a bordo, lo que él aceptó condicionalmente; se obtuvo el permiso para su embarque, y una orden del Almirantazgo, para que figurara en los libros de la nave a los efectos de las provisiones. Las condiciones puestas por Mr. Darwin fueron tener la libertad de abandonar el *Beagle* y retirarse de la expedición cuando lo considerara oportuno y, además, pagar su parte en los gastos de mis víveres.

Anxious that no opportunity of collecting useful information, during the voyage, should be lost; I proposed to the Hydrographer that some well-educated and scientific person should be sought for who would willingly share such accommodations as I had to offer, in order to profit by the opportunity of visiting distant countries yet little known. Captain Beaufort approved of the suggestion, and wrote to Professor Peacock, of Cambridge, who consulted with a friend, Professor Henslow, and he named Mr. Charles Darwin, grandson of Dr Darwin the poet, as a young man of promising ability, extremely fond of geology, and indeed all branches of natural history. In consequence an offer was made to Mr. Darwin to be my guest on board, which he accepted conditionally; permition was obtained for his embarkation, and an order given by the Admiralty that he should be borne on the ship's books for provisions. The conditions asked by Mr. Darwin were, that he should be at liberty to leave the Beagle *and retire from the Expedition when he thought proper, and that he should pay a fair share of the expenses of my table.*

Knowing well that no one actively engaged in the surveying duties on which we were going to be employed, would have time –even if he had ability— to make much use of the pencil, I engaged an artist, Mr. Augustus Earle, to go out in a private capacity; though not without the sanction of the Admiralty, who authorized him also to be victualled. And in order to secure the constant, yet to a certain degree mechanical attendance required by a large number of chronometers, and to be enabled to repair our instruments and keep them in order, I engaged the services of Mr. George James Stebbing, eldest son of

Sabiendo bien que nadie que estuviera absorbido por las labores de investigación que nos ocuparían tendría tiempo -aun teniendo la capacidad- para hacer mucho empleo del lápiz, designé a un dibujante, Mr. Augustus Earle, para que nos acompañara en carácter de colaborador privado, claro que con la autorización del Almirantazgo, que aprobó dicho nombramiento para que también a él se le asignaran vituallas. Y con el objeto de velar por el servicio constante -bien que hasta cierto punto mecánico- requerido por nuestro gran número de cronómetros, y para la reparación y mantenimiento de nuestros instrumentos, contraté los servicios de Mr. George James Stebbing, hijo mayor del matemático y fabricante de instrumentos de Portsmouth, como asistente privado.

El complemento estable de oficiales y marineros (incluidos infantes de marina y grumetes) era de sesenta y cinco, pero con los supernumerarios que he mencionado teníamos a bordo, cuando el *Beagle* se hizo a la vela desde Inglaterra, setenta y cuatro personas, a saber:

Robert FitzRoy................ Comandante y Topógrafo
John Clements Wickham .... Teniente
Bartholomew James Sulivan .... Teniente
Edward Main Chaffers .... Patrón
Robert Mac-Cormick .... Cirujano
George Rowlett .... Maestre de víveres
Alexander Derbishire .... Oficial mercante
Peter Benson Stewart .... Oficial mercante
John Lort Stokes .... Oficial mercante y
                                      Topógafo auxiliar

the mathematical instrument-maker at Portsmouth, as a private assistant.

The established complement of officers and men (including marines and boys) was sixty-five: but, with the supernumeraries I have mentioned, we had on board, when the Beagle *sailed from England, seventy-four persons, namely:*

Robert FitzRoy.................Commander and Surveyor
John Clements Wickham..........................Lieutenant
Bartholomew James Sulivan ....Lieutenant
Edward Main Chaffers ....Master
Robert Mac-Cormick ....Surgeon
George Rowlett ....Purser
Alexander Derbishire ....Mate
Peter Benson Stewart ....Mate
John Lort Stokes..........Mate and Assistant Surveyor
Benjamin Bynoe ....Assistant Surgeon
Arthur Mellersh ....Midshipman
Philip Gidley King ....Midshipman
Alexander Burns Usborne ....Master's Assistant
Charles Musters ....Volunteer 1 st Class
Jonathan May ....Carpenter
Edward H. Hellyer ....Clerk

Acting boatswain: sergeant of marines and seven privates: thirty-four seamen and six boys.

On the List of supernumeraries were –

Charles Darwin ....Naturalist
August Earle......................................Draughtsman
George James Stebbing............... Instrument Maker

Benjamin Bynoe .... Cirujano auxiliar
Arthur Mellersh .... Guardiamarina
Philip Gidley King .... Guardiamarina
Alexander Burns Usborne .... Patrón auxiliar
Charles Musters .... Voluntario de Primera
Johathan May .... Carpintero
Edward H. Hellyer .... Escribiente

Contramaestre a cargo: sargento de infantería de marina y siete soldados rasos: treinta y cuatro marinos y seis grumetes.

En la Lista de supernumerarios figuraban:

Charles Darwin   .... Naturalista
August Earle   .... Dibujante
George James Stebbing .... Instrumentista
Richard Matthews y tres fueguinos, mi camarero, y el sirviente de Mr Darwin.

Muchos de los tripulantes habían navegado conmigo en el viaje anterior del *Beagle*, y había algunos oficiales, así como algunos infantes de marina y marinos, que habían servido en el *Beagle* o en el *Adventure* durante todo la expedición previa. Estos decididos admiradores de Tierra del Fuego eran el Teniente Wickham, Mr. Bynoe, Mr. Stokes, Mr. Mellersh y Mr. King; el contramaestre, el carpintero, el sargento, cuatro marineros, mi patrón, y otros marinos.

Richard Matthews and three Fuegians: my own steward: and Mr Darwin's servant.

Many of the crew had sailed with me in the previous voyage of the Beagle; *and there were a few officers, as well as some marines and seamen, who had served in the* Beagle, *or* Adventure, *during the whole of the former voyage. These determined admirers of Tierra del Fuego were, Lieutenant Wickham, Mr. Bynoe, Mr. Stokes, Mr. Mellersh, and Mr. King; the boatswain, carpenter, and sergeant; four private marines, my coxswain, and some seamen.*

INDICE

INDEX